집사, 울어도 괜찮아.

집사, 울어도 괜찮아.

박정은

프롤로그

　무슨 이야기를 할까? 라고 스스로에게 물어봤을 때 거창한 것 말고 그냥 어디선가 항상 있을 수 있는 이야기를 쓰고 싶었다. 바로 내 옆에 친구 혹은 내 가족들도 경험 할 만한 이야기가 무엇일까? 당장 내 옆에 있는 일들을 살펴보다 나의 반려묘에게서 문뜩 아이디어를 발견했다. 어릴 적부터 외국 타향살이를 많이 해서일까? 수 많은 종류의 사람들과 복잡한 인생 드라마들을 경험하면서 살다 보니 나의 반려묘의 단순하고도 순수한 영혼이 어느 순간 문뜩문뜩 위로가 될 때가 많았다. 잠시 마주 보고 있으면 그저 옆에 있어주는 것만으로도 든든하고 고맙고 마음이 따뜻해진다. 참 신기하게도 고양이는 특별히 하는 것도 없이 눈 몇 번 깜박거리는 것만으로도 인간이 소리를 지르며 기뻐하게 만들고 참치 캔까지 따게 하는 능력이 분명이 있다. 반려견과 함께 사시는 분들도 비슷한 경험들이 많으실 것이라 여긴다. 나도 캐치 못하는 나의 감정을 가장 먼저 느끼기도 하고, 이렇게도 부족한 나를 가장 믿고 가장 사랑하는 우리 반려동물들. 그들을 이야기 하는데 무슨 대단한 이유가 필요하랴. 그저 우리네 삶 속에 언제 가부터 찾아와 따뜻한 위로가 되어주는 온 세상 고양이, 개 그리고 수 많은 반려동물들에게 이 이야기들을 바친다. 건강하게 오래오래 같이 살자.

첫 번째 이야기: 풍아

　오랫동안 삶의 한 부분이 되어서 서로에게 너무 익숙해진 진돗개 믹스 견 풍아와 어른이라고 불리지만 보통 어른이 하는 일이 아닌 자신의 심장이 말하는 꿈을 쫓는 패션 디자이너 김민희의 어느 일상.

　두 번째 이야기: 자매

　누가 길 고양이들을 함부로 심판할 수 있을까? 길 위에서 피곤하게 살아가는 그들의 삶과 우리 인간들의 삶이 다르다고 말 할 수 있을까? 고달픈 인생길에서 만난 자매와 고양이들의 이야기.

　세 번째 이야기: 최고의 복수

　뉴욕에서 이방인으로 살아가는 혜정. 사람 살아가는 이야기는 어느 나라든 모두 비슷하다. 사랑하는 이에게서 이별 통보를 받는 일마저.

- 박정은

차 례

1장

풍아

38살 패션 디자이너 김민희, 오늘도 정확히 아침 7시에 일어나 흐트러진 파자마 차림으로 부엌으로 향했다. 그녀는 익숙한 몸짓으로 작년 이탈리아 출장 중 구매한 에스프레소 기계에서 진한 에스프레소를 한 잔 내렸다. 이내 부엌 안은 풍미 가득한 에스프레소 향으로 꽉 채워졌다. 민희는 잠시 눈을 감고 그 향에 빠져들었고 에스프레소 기계소리가 멈추자 에스프레소 한 잔을 손에 들고서 거실로 향했다.

"굿 모닝! 풍아!"

거실로 들어선 민희는 10년지기 룸메이트이자 자신의 반려견 풍아를 습관처럼 먼저 찾았다. 그녀의 아침인사에 답이라도 하듯 하얀 진돗개 믹스 견 한 마리가 어디선가 꼬리를 흔들며 민희에게 다가와 그녀의 다리에 온 몸을 살갑게 문지르며 인사를 했다. 민희는 에스프레소 잔을 잠시 커피 테이블에 올려 놓고선 무릎을 꿇고 손을 뻗어 풍아를 자신의 품 안에 꼭 안았다. 풍아는 10년 전 민희가 가장 힘든 시기에 길에서 입양한 개이다. 지금은 민희에게 둘 도 없는 소중한 존재가 되었다. 민희가 풍아를 길에서 처음 만났을 때는 풍아는 우중충한 얼굴을 하던 경계심이 많은 작은 강아지였다. 항상 저 멀리서 민희를 바라만 보다가 민희가 가방에서 준비한 간식을 꺼내어 건네 주면 조심스레 다가와 먹을 것만 낡아 채어 항상 멀리 도망가는 그런 강아지였다. 그 때의 민희는 갓 시작한 자신의 패션 브랜드 '노나우'의 아이덴티티에 대한 고민과 재정적 압박으로 브랜드를 포기해야 할 수도 있는 상황에 매일이 지옥을 맛보고 있었다. 어느 날 늦은 저녁 집으로 돌아가는 길, '내일은 희망이 올까?' 하는 두려움에 사람들 몰래 눈물을 훔치며 길을 걷고 있던 민희는 잔뜩 기가 죽은 강아지를 다시 만나게 되었다. 항상 멀리서 민희를 바라보기만 하던 강아지는 그 날은 조심스레 울고 있던 민희에게 먼저 다가와 다리에 뺨을 비비며 마치 민희의 마음을 안 다는 듯 위로를 해주었다. 갑작스러운 강아지의 따뜻한 행동은 민희의 두려운 마음을 녹여 주었고 감동이 되었다. 그렇게 민희는 세상에 혼자 남겨진 듯한 자신에게 와준 강아지를 선뜻 입양하게 되었다.

민희와 풍아는 닮은 점이 많았다. 혼자 있는 것이 더 익숙하고, 함부로 사람에게 마음을 잘 주지 않는 것조차 닮아 한 집에 오래 함께 살아오면서도 서로의 공간과 시간을 존중해주었기에 크게 문제되는 일들도 없었다. 서로에 대한 사랑은 잘 표현하지 않아도 그들은 서로가 필요할 때 그 곁에 있어줬다. 한 3개월 전의 일이었다. 민희는 3년 가까이 사귀었던 동갑내기 남자친구 진혁과 헤어 진 뒤 한동안 매일 공허함과 싸워야만 했다. 공허함에 빠질 때마다 그녀는 마치 우주에 떠다니는 부속품처럼 아무런 감각도 느껴지지 않았고 그저 멍하니 허공을 바라보고는 했다. 그럴 때마다 풍아는 그녀가 블랙홀 안으로 빠져들어가 다시는 빠져 나오지 못 할까 걱정이라도 하듯 그녀 옆으로 다가가 큰 소리로 멍멍 울어대며 민희를 현실로 다시 불러드렸다. 민희는 그런 풍아에게 항상 감사했다. 하지만 진혁과의 이별에 대해서는 여전히 씁쓸한 마음을 버릴 수가 아직 없었다. '이 이별 정말 잘 한 거겠지?' 민희는 풍아를 품에서 놓아준 뒤 에스프레소 잔을 들어 남은 에스프레소를 한 번에 모두 마셨다. 그리고 드레싱 룸으로 들어가 늦지 않게 출근 준비를 했다.

민희가 성수동 자신의 브랜드 '노나우' 스튜디오 문을 열고 들어서니 사업 파트너이자 오랜 친구인 준우가 먼저 사무실에 도착하여 그녀를 기다리고 있었다. 회사 재무를 담당하는 준우가 굳이 일찍 나왔다는 것은 민희에게 해야 할 말이 있다는 뜻이다. 하지만 민희는 아무리 곰곰이 생각해보아도 근래에는 준우가 아침 일찍부터 나와서 이렇게 자신을 기다릴만한 큰 일은 없는 것 같았다. 준우는 그런 민희의 생각과 달리 심각한 얼굴로 민희에게 다가왔다.

"너에게 할 말 있어. 아주 중요해."

준우는 곧바로 재촉하듯 민희의 팔을 잡아 그녀의 사무실 안으로 데리고 들어갔다. 서로를 마주보고 회의 테이블에 앉은 두 사람. 준우는 아주 심각한 표정으로 민희에게 질문을 던졌다.

"너 이번에도 서울시가 주최하는 한국 브랜드 뉴욕 컬렉션에 참여할 거야?"

"어머! 우리 이번에는 다시 선정되었어?"

한국 브랜드 뉴욕 컬렉션은 서울시가 한국 디자이너들을 후원하는 프로젝트로 매 패션쇼 시즌마다 10개의 한국 디자이너 브랜드를 선정하여 뉴욕에서 패션쇼를 진행하는 일이었다. 민희의 브랜드 '노나우'도

재작년까지 선정되어 년 2회 뉴욕에서 쇼를 진행했었는데 작년에는 아쉽게도 다른 브랜드들에게 기회를 넘겨 줬었다.

준우는 오늘 새벽 서울시의 실수로 아침에 발표 되어야 하는 참여브랜드 리스트가 조금 일찍 오픈 되어 '노나우'의 뉴욕 패션쇼 참여를 일찍 알게 되었다고 했다. 민희는 '노나우'가 다시 서울시에 기대하는 브랜드가 된 것과 뉴욕에서 쇼를 다시 할 수 있다는 생각에 밝은 햇살처럼 환하게 웃음을 지었다. 하지만 준우는 여전히 걱정스럽다는 듯 민희를 바라보았다.

"너가 지금 이렇게 웃을 때가 아니야."

"왜?"

"너 진혁이 다시 만날 자신 있어?"

민희는 진혁의 이름이 거론되자 그제서야 아차 싶은 마음에 밝았던 웃음이 얼굴에서 싹 사라지며 두 손으로 입을 가렸다.

민희과 진혁은 3년 전 한국 브랜드 뉴욕 컬렉션 프레젠테이션에서 처음 만났었다. 브랜드 대표로 참여한 민희와 한국 브랜드 뉴욕 컬렉션을 진행하는 서울시 파트너 업체 대표로 참여한 진혁은 첫눈에 서로에게 반했고 그 날 만남 이후로 급속도로 가까워졌다. 민희와 진혁은 대화를 하면 할 수록 자신들이 많은 공통점을 가지고 있다고 느꼈다. 구속 받지 않는 자유로운 삶과 항상 새로운 것을 갈망하는 성격 그리고 각자에게는 자식처럼 아끼는 한 마리의 반려견이 있었다. 진혁에게는 어딜 가나 거의 함께 다니는 똑똑한 푸들 한 마리가 있었고 두 사람은 매일 서로에게 자신의 반려견의 안부를 전해주기도 했다. 그렇게 사소한 것도 함께 나누고 서로 사랑하던 두 사람 사이에 금이 가기 시작한 것은 진혁이 결혼에 대해서 언급하고 난 뒤였다. 자유를 갈망하던 진혁은 언젠가부터 결혼에 대해서 진지하게 생각하게 되었다고 했다. 하지만 민희에게 결혼은 그렇게 반가운 인생 아젠다는 아니었다. 아직 더 키워야 하는 자식 같은 브랜드가 있고 무엇보다 결혼에 대한 확신이 민희에게는 없었다. 민희에게 있어서 결혼은 아직 구속처럼 느껴졌다. 두 사람은 그렇게 몇 번의 의견차로 언쟁을 이어가다 결국 이별을 선택하게 되었다. 민희는 이번 뉴욕 컬렉션에 참가하게 되면 자연스럽게 진혁을 다시 만나게 될 것이다. 길면 길고 짧으면 짧은 지난 3개월 동안 민희는 진혁과 헤어지고 난 뒤 많은 부분에서 홀로서기를 다시 배웠다. 사랑하는 이와 다른 방향을 바라보고 있는 지점에 다 달았을 때의 당혹스러움은 그 곳에 가본 사람은 분명 이해할 것이다. 민희에게 있어서 그 홀로서기 과정은 참 쉽지 않았고 솔직히 아직도 진혁을 생각하면 마음 한 구석이 쓰라렸다. 분명 그의 뜻대로 사는 것이 아닌 자신의 뜻대로 살기 위해서 이별을 택하였지만 머리와 다르게 가슴은 여전히 진혁을 따르고 있는지도 모른다. 과연 진혁을 아무렇지도 않게 다시 만날 수 있을까? 민희는 스스로에게 질문을 해보았지만 결국 진혁을 만나는 것이 두려워 브랜드에게 다시 찾아 온 좋은 기회를 포기할 수 있겠는가? 지난 10년동안 어떻게 키워온 브랜드인데 사적인 감정에 휘말려서 내 자식을 나 몰라라 할 수 없는 일이다. 뒤돌아 갈 수 없으니 그냥 앞으로 나아가 부딪히는 방법밖에 없다는 생각에 미치자 민희는 자리에서 일어나 짧은 한숨을 쉬며 자신의 데스크로 다가가 컴퓨터를 켜고 가방 안에서 서류들을 꺼내었다. 그녀의 일상적인 모습에 준우는 머리를 갸우뚱거렸다.

"너 괜찮아?"

준우는 여전히 걱정스럽게 민희를 살펴보았다.

"뉴욕 컬렉션 1년만에 돌아온 기회야. 다시 제대로 보여주는 일에만 집중할래."

준우는 민희의 뜻을 알았다는 듯 고개를 가볍게 끄덕여 주며 자리에서 일어나 사무실을 밖으로 나갔다. 홀로 사무실에 남겨진 민희는 목표가 정확하게 그녀의 시야 안에 들어오자 무엇을 해야 하는지에 대해서 명확해졌다. 그녀는 앞으로 진행해야 하는 일들을 하나씩 적어나갔다. 그리고 1년 전 초대했던 해외 바이어와 미디어 리스트들도 다시 컴퓨터 폴더에서 꺼내었다. 민희가 거침없이 업무를 쳐내는 동안 진혁과 결국 마주 칠 수 밖에 없는 첫 번째 프레젠테이션 날이 마음 한 구석에서 계속 불편하게 자리잡고 있었다. 자신도 동의해서 헤어지긴 했지만 진혁을 다시 만나면 흔들리지 않을 수 있을까? 일단 민희에게 있어서 지금 가장 중요한 것은 진혁을 다시 만났을 때 여전히 프로다운 모습을 그에게 보여주는 것이었다.

스튜디오에서 몸도 마음도 하루 종일 바빴던 민희는 자정이 다 되어서야 지친 몸을 이끌고 집으로 돌아왔다. 껌껌한 거실 불을 키고 안으로 들어서니 항상 그렇듯 조용한 정적이 그녀를 먼저 맞이하였다. 이제는 곧 어디선가 풍아가 잠에 취한 눈으로 걸어 나와 그녀에게 인사를 할 것이다. 그녀는 드레싱 룸으로 들어가 편안한 옷을 갈아 입고 욕실로 가서

화장을 지웠다. 한참 화장을 지우는데 민희는 무언가 잘못 된 것을 직감
했다. 풍아가 아직도 보이지 않았기 때문이다. 보통은 아무리 깊은 잠
에 들었다 하더라도 민희가 이곳 저곳을 다니면서 부스럭거리면 그 소
리에 바로 깨어나 민희에게 인사를 하러 나왔다. 하지만 오늘처럼 이렇
게 오랫동안 모습을 보이지 않았던 적은 없었다. 한 번도 그런 일이 없
었기에 민희는 대충 화장을 지우고 방안 어딘가에 있을 풍아를 찾아 나
섰다. 방안 구석 구석을 찾아보았지만 풍아는 보이지 않았다. 민희가
30분을 풍아를 부르며 찾아 헤매었지만 마치 어디론가 사라진 것처럼
보이지 않는 풍아. 불안해진 민희는 어두운 베란다로 몸을 향했다. 그
리고 곧 베란다 끝에 온 몸을 웅크리고 앉아 있는 풍아를 발견한 민희.

"풍아!"

민희는 풍아를 찾았다는 기쁨에 큰소리로 풍아를 향해 불렀다. 하지
만 풍아는 아무런 미동도 없자 바로 풍아에게 달려가 생사를 체크했다.
민희는 가슴이 두근두근 거리며 심장이 터질 것 같았다.

"살아있다!"

민희는 풍아가 꼬리를 꿈틀거리자 환호에 가까운 소리를 질렀다. 하
지만 이내 기뻐할 때가 아닌 라는 것을 깨달은 민희는 바로 풍아를 바로
24시 동물 병원 응급실로 데리고 가기 위해 다시 외출 준비를 급하게
서둘렀다.

동물병원에 도착한 민희는 떨리는 심장을 다독거리며 수속을 먼저
진행했다. 간호사의 안내에 따라 풍아를 꼭 껴안고 의자에서 기다리는
데 그 시간이 마치 늘어진 필름처럼 너무 천천히 흘러갔다. 잠시 뒤 간

호사가 다가와 풍아를 민희에게 전해 받아 커다란 문 넘어 검진실로 데리고 사라졌다. 풍아가 멀리 사라져가는 모습에 민희는 풍아가 얼마나 자신의 삶에 중요한 부분이었는지 새삼 생각이 나 눈물이 고였다. 잠시 뒤 간호사 다시 나타나 민희를 상담실로 안내하였다. 상담실로 들어서니 친절해보이는 중년의 의사가 서류를 잔뜩 들고 민희를 기다리고 있었다.

"선생님, 우리 풍아 어떻게 된 건가요?"

민희는 인사 할 겨를도 없이 급하게 풍아의 상태를 물어보았다.

"심장 쪽이 안 좋아요."

지난 10년 동안 풍아는 항상 건강하다고 믿었는데 이게 청천벽력 같은 소리인가? 민희는 놀라움에 아무 말도 하지 못하고 동그랗게 뜬 눈만 깜박거렸다. 의사는 그런 민희에게 천천히 풍아의 상태를 설명해주며 우선 심장수술을 해야 함을 강조하였다. 민희는 풍아의 목숨을 가지고 이런저런 고민 할 것도 없다는 듯 바로 수술 날짜를 잡았다. 의사는 수술을 하기 위해서 2주정도 탈수를 잡고 영양상태를 유지하기 위해서 민희가 당분간 옆에서 계속 풍아의 음수상태와 식사양을 조절해줘야 한다고 말해줬다. 그 말은 민희는 풍아를 앞으로 24시간 옆에 끼고 다녀야 한다는 말이다. '내일 오전부터 미팅이 있는데' 민희는 순간 일이 생각이 났지만 앞으로 풍아를 사무실에 데리고 출근하기로 마음을 먹었다.

풍아를 데리고 집으로 돌아온 민희는 아픈 풍아를 조심이 안아 자신의 침대 위에 편히 올려주고 자신도 그 옆에 지친 몸을 뉘었다. 언제나

건강하게 함께 할 것이라고 생각했던 풍아가 이제는 10살 노견이라니. 그동안 자신의 꿈만 쫓아 바쁘게 살면서 잘 챙겨주지 못 한 것 같아 죄책감이 밀려왔다. 그리고 천천히 졸음도 같이 밀려 들어왔다.

민희는 시끄러운 집 문 두드리는 소리에 잠에서 깨어났다. 잠에서 깨어난 민희는 순간 자신이 지금 어디있지? 라며 주변을 두리번거렸다. 집이다. 민희는 밖에서 여전히 시끄럽게 집 문 두드리는 소리에 얼굴을 찌푸리며 일어나 현관으로 나가 소음의 원인이 무엇인지 확인하기 위해 문을 열었다.

"살아있었네! 왜 연락을 안 받아!"

현관문 밖에는 준우가 무언가에 놀란 모습으로 서 있었다.

"무슨 말이야?"

민희는 머리를 긁적거리며 아직 졸린 눈으로 사태를 파악하려 했다. 준우는 오늘 아침 미팅에 참여하지 않은 민희에게 모두가 전화를 하였지만 받지 않았다고 말해주며 지금까지 한 번도 미팅에 빠지거나 연락이 닿지 않았던 적이 없었던지라 걱정이 되어서 달려오게 되었다고 설명해주었다. 민희는 자신이 늦잠을 잔 것도 지금이 아침이 아닌 정오라는 것도 모두 믿어지지가 않아서 잠시 얼은 듯 서있었다. 민희는 지난밤 풍아를 병원에서 다시 데리고 온 시간이 새벽 3시정도로 기억했다. 아마도 풍아 때문에 생겼던 긴장감이 풀리면서 깊은 잠에 빠져 들었나 보다.

"아! 맞다! 풍아!"

민희는 준우에게 집안으로 잠시 들어와 있으라는 말만 남기고 급하게 침실로 향해 들어갔다. 민희는 침대 위에서 여전히 조용히 웅크리고 잠들어 있는 풍아를 보자 지난 밤 심장이 놀라 사라지는 것 같은 순간이 떠올라 천천히 풍아에게 다가가 머리를 쓰담아 주었다. '너를 아직 잃을 준비가 되지 않았어'

민희의 사무실 안 한 편에는 당분간 이 곳에서 함께 출퇴근을 하여야 하는 풍아의 자리가 마련이 되었다. 민희는 그렇게 옆에 풍아를 곁에 두고 다시 업무에 집중하기 시작하였다. 스튜디오 직원들도 그제서야 민희가 확인해야 하고 결정을 내려야 하는 디자인이며, 서류 자료들을 모두 가지고 왔다. 민희는 자료들 중에서 한국 브랜드 뉴욕 컬렉션 참여 관련 자료가 제일 먼저 눈에 들어왔다. 그리고 2주 뒤에 있을 첫 프레젠테이션 일정에 한 번 놀랐고 심지어 첫 프레젠테이션 일정이 풍아 수술 날짜와 같은 날이어서 두 번 놀랐다. 민희는 나중 걱정은 나중에 하자며 현재 업무 상태를 체크해보았다. 한국보다 조금 일찍 진행하는 뉴욕 패션쇼를 가려면 지금의 속도로 디자인과 일 처리를 진행해서는 안되었다. 민희는 다시 마음을 다 잡고 속도를 내기로 했다. 민희는 직원들에게 정확한 업무 디렉션을 내려주고 자신이 컴퓨터로 돌아가 디자인에 새로 시작하였다. '그 날 정말 제대로 된 프레젠테이션을 보여줘야 해.' 민희는 머릿속에는 그 날 진혁에게 정말 멋있는 자신의 모습을 보여줘야 한다는 생각에 그 어느 때보다 더 긴장을 할 수 밖에 없었다. 이별 후에 한 때 연인이었던 사람을 다시 만나야 하는 자리라면 더욱 더 자신은 빛나야 한다고 생각했다.

민희는 오늘도 정확히 아침 7시에 일어나 에스프레소를 먼저 한 잔 만들어 마셨다. 민희는 자신이 지난 1주일동안 총 몇 시간을 잤을까? 생각해 보았다. 모든 것이 뒤죽박죽한 한 주였다. 샘플을 제작하기 위해 동대문을 직접 뛰어다니며 원단을 골랐다. 생각보다 원하는 원단을 쉽게 찾을 수가 없어서 몇 시간을 그 넓은 시장 안을 계속해서 돌아다니며 리서치를 했고 중간중간 풍아를 챙겨야 했기에 주차해 둔 차로 돌아가 그 안에서 쉬고 있는 풍아를 돌보았다. 그리고 다시 원단 먼지로 가득한 시장으로 향하기를 거의 매일 반복했다. 한 번은 구매한 중요한 샘플 원단을 차량 뒷좌석에 두고 스튜디오로 돌아오는 길에 풍아가 샘플 원단에 구토를 하는 바람에 다시 시장으로 돌아가 원단을 재차 구매한 적도 있었다. 어느 날은 사무실에서 중요한 제작 업체 미팅을 앞두고 풍아가 혈뇨를 보는 바람에 급하게 미팅을 취소하고 동물병원으로 달려가 다시 재검진을 받기도 했다. 그리고 정말 잡기 어려운 제작업체의 미팅을 취소한 대가로 민희는 자신이 제작 공장으로 직접 찾아가 사장님께 몇 번이나 허리 숙여 사과하고 다시 '노나우' 제품 생산 미팅을 겨우 진행하고 돌아온 적도 있었다. 게다가 풍아의 음수량을 늘리라는 의사의 디렉션에 따라 작은 주사기로 풍아에게 하루에 몇 번이고 물을 강제 주입하는데 이 행동을 이해할 리가 없는 풍아는 계속 물을 마시기를 거부했고 민희는 그런 풍아를 포기할 수 없어 하루에 4번 5번 옷이 젖어가며 주사기로 물을 억지로 먹여야만 했다. 앞으로 이 짓을 일 주일을 더 해야만 한다며 민희는 정신 줄을 놓지 않기 위해 다시 굳게 마음을 먹고 출근 준비를 했다. 사무실에 도착하니 이전에 제작 요청해두었던 첫 번째 샘플 의상들이 도착해있었다. 민희는 기쁜 마음으로 새로 태어난 자신의 자식과 같은 의상들을 하나씩 꺼내어 마네킹에 직접 입혀보았다. 준비된 의상들을 자신의 눈앞에 나란히 있는 것을 보니 민희는 가슴이 뭉클해졌다. 전체 콜렉션 중에 한 부분일 뿐이지만 민희는 자신의 상상이 현실로 구현 되어가는 이 과정에서 오는 희열 때문에 아마도 힘든 상황에서도 이 일을 포기 할 수 없었을 것이다. 살아가면서 자신이 온전히 자신이 될 수 있는 순간이 주어진다는 건 축복이다. 원단을 사각사각 잘라내는 소리가 오케스트라의 음악처럼 감동적으로 들려올 정도로 좋아하는 것이 있다는 것은 축복이다. 민희는 그런 점에서 자신은 축복받은 사람이라고 항상 생각해왔다. 그리고 이 축복의 길을 영원히 포기 하지 못 할 것이다. 그래서 일까? 이런 자신을 포기할 수 없어서 민희는 뜨거운 사랑을 뒤로 한 채 온전히 자신이 되기로 결심한 거겠지?

풍아의 수술 날이 하루 전으로 다가오자 민희는 풍아의 수술가능 여부를 확인하기 위해서 병원 들려서 건강 상태를 체크해보았다. 풍아는 다행히 탈수 수치가 많이 좋아졌고 내일 수술을 할 수 있을 것 같다는 의사의 조언을 받았다. 민희는 오후에 있을 프레젠테이션 참여를 위해서 오전시간대로 수술 스케줄을 다시 잡았다. 하루 정도는 영양제를 충분히 맞고 수술에 들어가야 했기에 풍아를 하루 병원에 미리 맡겨두기로 했다. 혼자서 사무실에 돌아오는 내내 지금부터 모든 것을 홀로 견뎌야 하는 풍아 생각에 마음이 편하지가 않았다. 내일 프레젠테이션을 마치고 병원으로 달려가면 그때쯤 풍아는 마취에서 깨어나 자신을 반갑게 맞이해주겠지? 라는 희망으로 복잡해진 마음을 달래보았다. 사무실로 돌아온 민희는 지난 2주간 준비한 자료들을 한 번 더 꼼꼼히 살펴보았다. '드디어 내일이다' 새로 선보일 컬렉션의 부분만 공개하는 자리뿐이지만 그래도 너무 설레면서 한 편으로 떨리는 자리였다. 민희는 내일 절대로 실수하지 말아야 한다는 다짐을 하고선 모든 자료들을 한 번 더 살펴보았다.

다음 날 아침, 민희는 스튜디오로 가지 않고 먼저 동물병원으로 가 수술에 들어가기 전 풍아 상태를 먼저 확인하였다. 수술을 하려면 아직 멀었지만 민희는 조금만 더 지금의 풍아와 함께 하고 싶었다. 민희는 작은 룸에 갇혀서 작은 팔에 링거를 맞고 있는 풍아를 직접 보게 되자 다시 마음이 짠해지면서 눈물이 앞을 가렸다. 풍아는 어색한 환경에서 겁에 질려 있다가 민희의 목소리를 듣자 꼬리를 흔들며 대답을 해주었다.

"풍아. 꼭 건강하게 다시 나한테 돌아와야 해."

의사는 민희에게 최선을 다하겠다는 말과 함께 그녀를 안심시켜주었다. 민희가 이제부터 할 수 있는 것은 그저 수술이 끝날 때까지 기다리는 것이다. 민희는 오후에 바로 시작 될 프레젠테이션을 위하여 병원을 빠져 나와 프리젠테이션을 진행하게 되는 동대문 디자인 플라자로 향했다.

풍아에 대한 걱정스러운 마음과 프레젠테이션을 잘 마쳐야 한다는 부담감이 합쳐서 민희는 머릿속은 꼬인 실타래처럼 복잡하고 안개 낀 날처럼 흐릿하지만 겉으로는 아무 일도 없다는 듯 도도하게 프레젠테이션 룸으로 들어섰다. 이미 많은 참여 브랜드 사 담당자들이 프레젠테이션 룸을 가득 채우고 있었다. 민희는 이미 도착해 있는 자신의 직원들을 발견하자 환하게 웃으며 그들에게 다가갔다. 민희는 그들 사이에 있는 준우를 발견하자 의외라는 표정을 지었다. 민희는 준우를 따로 조용히 불러냈다.

"아니 너까지 여길 왜 와?"

"혼자서 오늘 이 자리를 감당하겠다고?"

역시 좋은 친구 준우다. 민희는 준우가 오늘 진혁과 만나게 될 자신이 걱정이 되어서 와준 것을 알게 되자 살짝 미소를 지어주었다.

"이따 잘 해."

"고마워!"

민희와 직원들은 함께 뒤 좌석 쪽으로 자리를 잡고 앉아 프레젠테이션이 시작하기를 기다렸다. 프레젠테이션이 곧 시작 될 것이라는 공지가 나오자 민희는 큰 숨을 들이 쉬었다. 잠시 뒤 무대 앞쪽으로 지난 3개월 동안 보지 못 했지만 매일 자신한테도 숨긴 채 몰래 기억했던 진혁이 나타났다. 댄디한 자켓을 입고 나타난 진혁은 기억했던 모습 그대로였다. 진혁의 시선에도 자신이 보일까 민희는 괜히 앞 사람 뒤로 얼굴을 숨겼다. 프레젠테이션이 시작되자 첫 번째 브랜드 디자이너가 나와 새로운 컬렉션에 대해서 설명하기 시작하였다. 민희가 다른 브랜드의 방향성에 대해서 호기심에 가득 차 한참을 집중하고 있을 때였다. 동물병원으로 찍힌 번호로 한 통의 전화가 민희에게 걸려왔다. 민희는 마침 뒤 좌석 자리에 앉았기에 조심스럽게 전화기를 들고 프레젠테이션 룸을 나가 복도에서 아무일 없이 무사히 수술을 잘 마쳤다는 전화 이길 간절히 바라며 전화를 받았다. 풍아의 담당의사는 수술을 무사히 잘 마쳤다고 말해주었다. 민희가 안심을 하려는 순간 의사는 잠시 멈칫하면서 추가적인 설명을 해주었다. 심장 상태는 많이 안 좋아져 있어서 추가적인 수술이 필요할 것 같다고 말해주었다. 하지만 그보다 더 중요한 건 마취에서 깨어나야 하는 풍아가 일반적인 개들과 달리 아직 깨어나지 않고 호흡기에 의존하여 숨만 쉬고 있다고 전해주었다. 민희는 마취로 수술 중에도 사망하는 동물들에 대해서 들어본 적이 있던 순간이 떠오르자 온몸에서 힘이 빠지고 공포를 순간적으로 느꼈다.

"안돼요! 선생님! 우리 풍아 저 아직 못 보내요. 제발 살려주세요!"

민희가 세상에 태어나서 이처럼 간절하게 누군가에게 부탁을 한 적이 있었을까? 민희는 아직 숨을 쉬고 있는 풍아를 마취에서 깨어나게 하는 것이 먼저라며 의사는 마지막까지 최선을 다해보겠다고 하고선 이후 다시 연락 주겠다고 하며 전화를 끊었다. 통화는 끝났지만 민희는 모든 판단회로가 끊어져버린 채 그 자리에 얼음처럼 얼어 버렸다.

그때 준우가 복도로 나와 민희를 불렀다.

"지금 우리 차례야! 빨리 들어와!"

준우의 목소리에 민희는 그제서야 자신이 지금 프레젠테이션 자리에 와 있음을 다시 깨달았다. 민희는 다급하게 마음을 정리하고 표정관리를 하며 프레젠테이션 실로 다시 들어갔다. 조금 늦게 나타난 자신을 모두가 뒤 돌아 쳐다보지만 민희는 그 어느 것도 눈에 들어오지도 어떤 소리도 들리지 않는 듯 했다. 민희는 발표를 해야하는 무대 앞으로 천천히 걸어서 나갔다. 무대에 가까워지자 무대 옆에 앉아 있던 진혁과 눈이 마

주쳤다. '

'완벽한 모습을 보여줘야 해. 완벽한……'

하지만 자신의 바램과 다르게 민희의 얼굴은 온통 긴장감에 싸여있었다. 민희는 무대 위에 올라와 1년만에 찾아온 이 중요한 기회를 멋지게 잡으려고 자신이 준비한 자료 첫 페이지를 발표 화면에 띄웠다. 그리고 첫 마디를 하기 위해서 입을 여는 순간 민희는 말이 쉽게 떨어지지 않는 자신을 발견했다.

"어. 저기……"

사람들은 민희의 안절 부절하는 모습에 한 두 명씩 민희를 걱정스러운 표정으로 쳐다보기 시작했다. 당황한 민희는 주변을 두리번거리면서 숨을 곳을 찾고 싶어졌다.

"어. 저기…… 제가 사실……"

그때 민희는 자신의 두 눈에서 닭똥같은 눈물이 떨어지자 더욱 더 당황하면서 입술을 꼭 깨물었다.

"사실 제 반려견이…… 지금 병원에서 죽어가고 있어요. 죄송해요"

민희는 물을 토하듯 사람들 앞에서 모든 것을 털어놓고 서럽게 눈물을 흘리며 자신의 지금의 모습을 원망 할 수 밖에 없었다. 그때였다. 누군가가 무대 위로 올라와 울고 있는 민희를 부축하여서 무대 아래로 데리고 내려가려 했다. 민희는 얼굴이 눈물로 범벅이 될 정도로 울음을 참을 수가 없었다. 손으로 눈물을 닦으며 자신의 옆에 서 있는 사람을 확인해보니 진혁이었다. 진혁이 자신을 부축해서 내려왔다는 사실을 알게 되자 알 수 없는 서러움이 더 가슴깊히 밀려들어온다. 민희는 진혁이 없는 삶도 이렇게 괴로운데 풍아 마저 자신에게서 사라지면 앞으로 어떻게 견뎌야 할지 상상이 되지 않았다. 그때 성우가 나타나 민희를 진혁에서 에스코트 받아 프레젠테이션 실을 빠져나갔다. 성우는 바로 민희를 차에 태우고 동물병원으로 향했다. 동물병원으로 향하는 내내 민희는 감정을 주체할 수 없어 어린아이마냥 소리 내어 울고 또 울었다.

병원에 도착해서야 민희는 풍아가 여전히 호흡기에 의존하여서 숨을 쉬고 있다고 전해 들었다. 두 손으로 눈물을 닦으며 민희는 풍아가 있는 회복실로 들어갔다. 작은 룸 안에 마치 죽어있는 듯 축 쳐진 채 누워 있는 풍아. 하지만 풍아의 배쪽이 조금씩 오르락 내리락 하며 숨을 쉬며 움직이고 있었다.

"다행이야. 다행이야."

민희는 두 눈은 여전히 꼭 감은 채 연약하게 숨을 쉬고 있는 풍아에게서 눈을 뗄 수가 없었다. 의사에게 허락을 받고 민희는 작은 문을 열고 손을 뻗어 풍아를 천천히 만져주었다.

"내가 왔어. 이제 다 괜찮아질 거야."

민희는 풍아가 온몸으로 자신을 느낄 수 있도록 계속해서 천천히 온몸을 쓰담 아 주었다.

얼마나 지났을 까? 풍아의 연약했던 호흡이 점점 더 강해지다 풍아가 천천히 눈을 떠 민희를 바라보고 있었다. 민희는 급하게 의사 선생님을 불렀다. 잠시 뒤 풍아는 정상적인 호흡을 하면서 호흡기를 때었다. 민희는 그제서야 안도의 한 숨을 쉬면서 자리에서 일어나 대기실로 나갔

다. 민희는 온 몸에 힘이 빠진 채 대기실로 터벅터벅 걸어나가자 그곳에
는 진혁와 준우가 함께 있다는 것을 발견하였다. 민희는 자신의 눈을 믿
을 수가 없어서 부운 두 눈을 한 번 감았다 다시 떴지만 그곳에는 진혁
이 준우 옆에서 함께 앉아서 자신을 바라보고 있었다. 가만히 서 있을
수 밖에 없던 민희에게 먼저 다가 온 것은 진혁이었다.

"풍아는 괜찮아?"

민희는 진혁의 말에 대답대신 그저 멀뚱멀뚱 그를 쳐다볼 뿐이었다.

"걱정되어서 왔어. 나도 풍아를 오래 알았잖아."

민희는 진혁의 말에 그제서야 정신을 차린 듯 고개를 끄덕여 주었다.

"심장이 안 좋아서 오늘 아침에 수술을 했어. 나이도 이제 좀 있고 생
각보다 좋은 상태가 아니었나 봐."

"지금은 괜찮아?"

민희는 진혁을 회복실로 데려가 눈을 멀뚱멀뚱 뜨고 누워있는 풍아
를 보여주었다. 진혁은 오랜만에 만나는 풍아에게 간단한 인사를 전했
다.

"미안, 오늘 나 때문에 프레젠테이션이 엉망이 되었네"

"신경 쓰지마, 어차피 서울시에서 형식적으로 진행하는 행사고. 너
나가고 다들 자기 반려견들 생각나서 그런지 너 걱정된다고 난리였어."

민희는 진혁이 집에 놀러 와 풍아와 놀아주던 순간이 생각이 났다.

"잘 지냈지?"

민희는 진혁의 질문에 선뜻 대답을 하지 못 했다. 잘 지내지 못했던
걸까?

"넌?"

"난 그럭저럭 잘 지냈어."

진혁의 잘 지냈다는 대답이 민희를 체념하게 만들었다.

"다행이네. 잘 지냈다니."

잠시 두 사람 사이에 정적이 흘렀다. 그 정적을 먼저 깬 것은 진혁이었다.

"넌 여전히 결혼은 싫니?"

민희는 진혁의 갑작스러운 질문에 대답 없이 그의 얼굴을 올려 쳐다보았다.

"미안, 이런 상황에서 물어봐서. 그래도 정말 마지막이라고 생각하고 물어보고 싶어. 너도 좀 더 현실적으로 이제 생각 해야 하는 나이잖아. 언제 결혼해서 아이도 낳고 그러냐고."

민희는 진혁의 거침없이 뱉는 말들에 자신이 사랑했던 사람이 정말 지금 이 옆에 서있는 진혁과 같은 사람이 었을까? 라는 의문이 들었다. 그 어떤 것에도 한계를 두지 않고 그저 자유롭게 함께 꿈을 좇던 그 사람을 어디로 간 것일까?

"나이가 들었다고 관심도 없던 것이 관심이 생기지는 않는 거잖아."

민희의 대답에 진혁이 짧은 한 숨을 쉬었다.

"그래 여전히 생각은 바뀌지 않았구나."

"난 여전히 꿈을 좇을 거고 난 그런 나로 만족해."

"그래."

"진혁아. 너에게 내가 그냥 현실성도 없는 그저 꿈만 꾸는 무책임한 사람 같겠지만 나는 그런 내가 좋아. 세상이 주는 기준에서 벗어나 그냥 내가 상상하는 모든 것을 사랑하는 내가 좋아."

민희는 자신의 말에 그 어떤 때보다 확신에 차 있었다.

"그래. 내가 너무 오래 있었구나. 이제 가볼게"

진혁은 민희의 말에 다급하게 발걸음을 옮겨 대기실로 나섰다. 민희는 밖으로 나가는 진혁의 뒤 모습을 그저 바라만 볼 뿐 따라 나서지 않았다.

다시 홀로 남겨진 민희는 작은 룸에 누워 있는 풍아에게 손을 뻗어 다시 천천히 매만져 주었다. 이제는 진혁을 그리워하는 것으로부터도 이별을 했다. 이제는 정말 다시는 진혁을 생각해서는 안되고 이 이별에 의문을 달아서도 안 된다. 이 이별은 처음부터 민희 자신이 내린 결정이었으니까. 지금부터가 진정한 홀로서기지만 이제는 두렵지도 외롭지도 않았다. 민희는 알 수 없는 편안한 감정들이 몰려오자 풍아가 누워있는 작은 룸 모서리에 머리를 잠시 기대었다. 잠시 뒤 민희는 풍아가 자신의 머리를 핥아 주는 것을 느끼며 고개를 들었다. 방금 전 까지만 해도 전혀 미동도 없이 누워서 자신을 말똥말똥 바라보기만 하던 풍아가 자신에게 다가와 여전히 위로를 해주고 있었던 것이다. 민희는 그제서야 풍아에게 손을 뻗어 자신이 혼자가 아님을 온전히 느꼈다. 풍아는 처음 만난 그날처럼 여전히 무뚝뚝한 개이지만 민희가 슬픔에 빠져있을 때 항상 그녀의 곁을 지켜주었다. 그리고 앞으로도.

2장

자매

올해 80세 최순득 할머니는 용산 역 근처에서는 꾀 알려진 할머니 이름을 따 만든 '최순득 원조 국밥 집'을 40여년 넘게 운영해오고 있다. 처음 가게를 차렸을 때만해도 천막을 치고 시작한 작은 국밥 집이었다. 밤낮으로 악착스럽게 살아온 순득 할머니의 노고와 터를 잘 잡은 덕분인지 이제는 일대에서 제법 잘 알려진 번듯한 가게로 성장했다. 장성한 자식 둘까지 효자라는 소문까지 나면서 동네 사람들 사이에서는 순득 할머니는 가난을 이겨내고 성공한 신화 중 한 명이었다. 지금은 특별한 걱정거리 없이 노년을 보내는 순득 할머니의 삶도 애초에는 녹록하지가 않았다.

순득 할머니가 7살이 되었을 때 6.25 전쟁이 발생한 해였다. 순득 할머니의 아버지는 바로 군대로 끌려가신 뒤 소식이 끊겼고, 여기 저기 터지는 폭탄 소리에 혼이 쏙 빠져 바지에 오줌을 지리기도 했다. 하지만 그 모든 상황을 다 이해 할 수 없는 어린 나이였기에 그저 크게 울음을 터트린 채 어머니의 손에 이끌려 할아버지가 사는 먼 순천으로 험난한 피난길에 올라야 했다. 그 피난길에서 문뜩 문뜩 기억이 나는 건 어머니 등에 업혀있던 갓 태어난 어린 여동생 최순월이 자신처럼 목청 터지게 울었다는 것이었다. 어렵게 도착한 할아버지 댁에서는 대를 이를 아들

손주를 낳아 오지 않았다며 어머니를 나무라는 어른들 사이에서 순득 할머니는 여전히 벌벌 떨어야 했다. 작은 방 한 칸 내어 받았지만 자신들을 남보다 못하게 여겼던 할아버지 밑에서 눈치를 보며 살아야만 했다. 그래도 피난 길 보단 덜 고생할 것이라며 자신을 다독거려주는 어머니가 몇 해 뒤 병으로 돌아가시기 전 까지는 순득 할머니의 삶은 간신히 살만은 했다. 아직 5살이 채 되지 않은 어린 여동생 순월을 잘 챙겨주라는 어머니의 마지막 유언이 12살 순득 할머니에게는 세상의 그 어떤 약속보다 소중했다.

어머니가 돌아가신 뒤 할아버지는 장녀라는 이유만으로 어머니가 하던 힘든 집안 일을 어린 순득 할머니에게 시켰다. 그 고사리 같은 손으로 차가운 물에 걸레를 빠느냐 손이 퉁퉁 붓기 일 수이기도 했다. 하지만 할아버지 할머니 내외는 이제는 부모 없이 살아가야 하는 순득 할머니와 어린 여동생 순월에게 전쟁 통에 입만 늘었다며 불평만 하셨다. 전쟁이 끝나고 18살이 될 때까지 순득 할머니는 학교는 근처에도 가지 못했고 종처럼 할아버지 댁에서는 집안 일만 해왔다. 순득 할머니는 할아버지가 어린 여동생 순월에게도 집안일을 시킬까 싶어 새벽부터 늦은 저녁까지 소처럼 일만 했다. 순득 할머니가 그나마 자유를 찾은 것은 19살이 되던 때 동네 청년에게 시집간 뒤였다. 결혼 뒤 서울로 올라와 남편은 공사판에서 일을 하고 자신은 남에 집 식모살이를 하면서 여전히 힘들게 살았어도 그 순간은 잠시 행복했었다. 하지만 순득 할머니는 30살이 되기도 전에 남편을 공사 현장에서 사고로 잃게 되었다. 모진 팔자라며 장례식에서 가슴을 주먹으로 치며 흘렸던 눈물이 채 마르

기도 전에 갓 2살이 된 아들과 만삭 뱃속에서 아직 태어나지도 않은 딸을 위해서 그녀는 이를 악 물고 생활전선으로 뛰어 나가야만 했다. 그리고 온갖 허드레 일을 하며 10여년이 지나고 드디어 용산 역 근처 작고 허름한 국밥 집을 겨우 하나 장만하게 되었다. 국밥 집을 갓 시작했을 때 만해도 이제는 삶이 조금이나마 편안해지려나 하는 희망으로 순득 할머니는 새벽같이 일어나 하루하루를 살아갔다. 어린 새끼들 따신 방에 재워야 한다며 일이 끝나고 피곤한 몸으로 돌아와도 아궁이 불을 꼭 살펴보던 최순득 할머니였다. 그저 어린 새끼들 배고프지 않게만 살게 해달라고 간절히 바라고 바라면서 살아오던 어느 날 국밥 집을 찾아온 먼 친척은 순천에서 시집 보낸 동생 순월의 소식을 전해주었다. 하나밖에 없는 여동생이 자신처럼 가난하고 힘들게 살지 말라고 할아버지 밑에서 종처럼 살지 않기를 바라는 마음에 순월이 20살이 되던 해 순득 할머니는 없는 살림에도 중매쟁이에게 웃돈을 더 얹혀서 순천의 땅부자로 알려진 최가네 둘째 아들에게 동생을 시집을 보냈었다. 그리고 잘 살겠지 하며 아무런 걱정 없이 잊고 살았었는데……

"순월이 남편이 그렇게 여색을 밝히고 순월이를 매일 때린다더라."

잘 알지도 못 하는 먼 친척의 말임에도 순득 할머니의 억장이 무너져 내렸었다. 순득 할머니는 그 길로 어린 자식들을 이웃에게 잠시 맡기고 순천으로 짐을 싸 내려갔다. 그곳에 만난 동생 순월은 상상이상으로 망가진 몰골로 순득 할머니를 마주하고 있었다.

"아이고! 이것아! 이렇게 살지 말고 날 찾았어야지!"

속상한 마음에 동생 순월의 등 짝을 때리며 울분을 토했지만 순월은 그저 괜찮다며 언니 순득 할머니를 오히려 위로해 주었다.

"언니. 나는 개안타."

"누가 너를 이리 만들었나? 내가 당장 이것들을!"

순월과 잠시 대화를 나누던 순득 할머니는 그 자리에서 벌떡 일어나 최가네 사람들에게 달려가 동생 순월을 이혼시켜서 서울로 데리갈 것 이라며 협박 아닌 협박을 했었다.

"내 동생 못 데려가게 하면 내가 이 집안을 확 불 질러 버릴 것 이여!"

그렇게 우여곡절 끝에 동생 순월을 서울로 데리고 올라온 순득 할머 니는 몇 번이고 순월을 서울에서 시집을 보내려고 했지만 그때마다 순 월은 순득 할머니 곁에서 살겠다고 고집을 부렸다. 독립하지 않으려는 동생이 가끔은 밉기도 했다. 서울로 괜히 데려왔나 후회가 될 때마다 어 머니가 자신에게 마지막으로 남겼던 유언을 기억하면서 마음을 다 잡 았다. 자신처럼 배운 것도 없는 순월을 순득 할머니는 국밥 집에서 일이 라도 배우라며 그때부터 매일 같이 데리고 다니며 가게를 운영해왔다.

세월이 흘러 이제는 누가 언니인지 동생인지 구분이 안 갈 정도로 함께 늙어온 순득 할머니와 순월 할머니. 남에게 할 말 다하고 따질 거 다 따지며 살아 온 억척같은 자신과 다르게 그저 조용하기만 한 순월 할 머니를 볼 때면 이제는 70이 훨씬 넘은 나이인데도 아직 물가에 내 놓 은 어린아이처럼 느껴졌다.

남들 보기에는 있는 듯 없는 듯 조용조용하게만 사는 순월 할머니가 그래도 활기가 넘치는 때가 있었는데 그건 국밥 집 뒷마당으로 길 고양이 서너 마리가 찾아오면서부터 였다. 순월 할머니는 길가에 생명도 소중한 생명이라며 하루하루 자식처럼 보살폈다. 지금에서야 각종 사료를 구해서 보살피지만 이전에는 국밥 집에서 자신이 먹을 음식을 남겨서 나눠주었고 그걸 본 순득 할머니로부터 꾸중도 많이 듣기도 했다.

"아니 사람 먹을 것도 없는 마당에 그런 짐승들을 왜 걷어드리는 거야?"

순득 할머니가 화가 잔뜩 난 상태인데도 순월 할머니는 푸근하고 순진한 얼굴로 언니를 바라보며 대답했다.

"언니야. 다 소중한 생명이다. 그러지 마라."

순득 할머니는 동생이 그럴 때마다 화가 더 나지만 부모 없이 자란 동생이 한 편으로는 안쓰럽게 느껴져 한숨을 크게 쉬며 다시 가게 부엌으로 들어가 손님 상에 올릴 김치를 괜히 핑계 삼아 두 손으로 힘있게 버무리며 화풀이를 했다.

세상이 변해 주변에 높은 아파트와 건물들이 들어서면서 동네에서 쉽게 볼 수 있던 고양이들은 이제는 많이 사라졌다. 순월 할머니는 어쩌다 찾아오는 배 골은 고양이를 보면 집 나간 자식이라도 찾아온 듯 뒷마당 창고로 달려가 사료를 잔뜩 꺼내어 주었다. 세상이 아무리 변했다고 하더라도 국밥 집은 고양이들 세계에서는 이미 유명한 무료급식소로 알려졌는지 수십 년이 지나면서도 가끔 고양이들이 찾아오고 있었다. 자기 것은 제대로 챙기지도 못 하면서 말 못하는 동물들에게 그저 퍼주기만 하는 그런 동생이 탐탁지 않아 하는 순득 할머니의 마음도 여전히 변하지 않았다.

어느 날이었다. 순월 할머니가 무언가 바쁘게 뒷마당에서 우왕좌왕거리는 것을 본 순득 할머니는 큰일이라도 났나 싶어 부엌에서 뒷마당으로 달려가 순월 할머니를 불렀다.

"뭐가 이리 소란스럽나?"

"언니야! 이리 와서 좀 봐라!"

순월 할머니는 순득 할머니를 향해 손짓을 해 보였다. 순월 할머니는 언니가 자신이 부르는 쪽으로 다가오자 그제서야 조심스럽게 창고 문을 열어 보여줬다. 어두운 창고에 빛이 들어오자 창고 구석 한 켠 쌓아둔 박스 위에 누워 있는 고양이 한 마리가 보였다.

"아니! 또 고양이 때문이냐?"

순득 할머니는 버럭 화를 내었다.

"언니야. 자세히 봐라. 새끼를 밴 고양이가 들어와 자리를 잡았다. 곧 새끼를 낳을려나보다."

순득 할머니는 볼록하게 튀어나와 임신한 고양이가 반갑지 않은 듯 힐끗 쳐다보기만 했다.

"이 창고에서 고양이 새끼는 무슨! 어서 내보내라!"

"언니야. 항상 왜 그렇게 매몰차노? 즈그 자식 잘 낳아서 키우려고 좋은 집에 스스로 들어온 거 아닌가? 저것도 생명이라고 지 새끼는 귀한거다."

순득 할머니는 세상물정 아직도 모르는 듯한 말에 순월 할머니가 답답하기만 했다.

"새끼를 낳으면 누가 키울 낀데? 지금까지 고양이들 챙겨서 이 집에 돈이라도 생겼나? 그 놈의 사료니 영양제니 산다고 돈만 날리지 않았나?"

순득 할머니 얼굴에 근심 주름만 더 늘어나는 것 같았다.

"그래도 고양이들이 우리 뒷마당에 자주 오면서 쥐도 잡아주고 하지 않았나? 고양이들도 다 안다. 다 언니나 내한테 좋은 일들만 생길 끼다."

순월 할머니의 말에 순득 할머니는 오늘도 김치를 박박 버무릴 이유가 생긴 듯 인상을 쓰며 창고문을 쾅 하니 닫아버렸다.

"언니야. 우리 닭 한 마리 사서 푹 고아서 주자"

"나는 진짜 니가 왜 이러는지 모르겠다. 니가 하고 싶은대로 해라!"

"언니야. 고맙데이!"

순월 할머니는 차갑게 휙 돌아가는 순득 할머니의 등뒤에 웃으면서 말했다.

창고에서 고양이가 해산을 한 지 얼마 안되었을 때 일이었다. 순월 할머니는 그날도 산모 고양이를 챙겨준다고 닭 한 마리는 푹 삶아서 뼈까지 다 바른 살코기를 가져다 주려고 창고로 향했다. 창고 안으로 한 발짝 발을 내 딛는 순간 순월 할머니는 다리에서 힘이 빠지면서 그 자리에서 주저 앉아 버렸다.

"아이고!"

순월 할머니의 짧은 비명 소리에 순득 할머니는 부리나케 창고를 향해 달려 나왔다.

"순월아!"

순득 할머니는 순월 할머니가 창고로 들어가는 입구 바닥에 널 부러져 누워 있는 것을 보고 심장이 덜컹 내려 앉았다.

"순월아! 순월아!"

순득 할머니는 순월 할머니에게 달려가 상태를 살펴보았다.

"언니야. 내 아무래도 허리가 삐끗한 것 같다."

"아이고 순월아. 조금만 기다려라. 언니가 언능가서 사람을 불러올게"

순득 할머니는 허리를 부여잡고 고통에 어쩔 줄 몰라 하는 순월 할머니를 안쓰러운 듯 바라보다 가게 밖으로 뛰쳐나가 옆 집 가게 젊은 청년 주인에게 도움을 청했다.

잠시 뒤, 병원 응급차가 국밥 집 앞에 도착했다. 응급차에서 내린 구조사들은 이동식 응급침대를 가지고 국밥 집 뒷마당으로 달려가 순월 할머니를 조심스레 그 위로 옮겼다. 응급침대 위로 올라 누우면서 순월 할머니가 고통에 살짝 소리를 질렀다.

"아이고! 내 동생! 괜찮나?"

순득 할머니는 순월 할머니보다 잔뜩 겁이 질릴 표정으로 어쩔 줄을 몰라 했다. 구조사들이 응급침대를 구조차 안으로 들어 넣으려 할 때 순월 할머니가 급하게 순득 할머니를 불렀다.

"언니야! 언니야!"

"아이고, 내 동생! 언니 여기 있다."

순득 할머니는 순월 할머니가 마치 당장이라도 죽을 듯 순월 할머니의 손을 꼭 잡았다.

"언니야! 창고 바닥에 닭고기가 떨어졌다. 그거 좀 챙겨 다 고양이 좀 먹여라"

"아이고! 이 것아! 지금 그게 뭐가 중요하냐?"

순득 할머니는 순월 할머니가 이 와중에도 고양이를 챙기자 순간 화가 다시 치밀어 올랐다.

"언니야, 새끼가 3마리다! 3마리 젖 물리려면 잘 챙겨먹어야 한다."

순득 할머니는 순월 할머니에게 따끔하게 한 소리 하고 싶지만 지금 그것이 무슨 소용이겠는가?

"알았다. 알았으니 어여 병원에 가자!"

병원으로 향하는 응급구조 차에서 순득 할머니는 부랴부랴 아들에게 전화를 걸어서 병원으로 불러드렸다. 병원에 도착하자 순월 할머니는 먼저 엑스레이를 촬영하러 병원 안으로 들어갔고 순득 할머니는 같이 와준 착한 옆집 청년의 도움으로 병원 수속을 시작했다. 잠시 뒤 엑스레이 촬영을 하고 나온 순월 할머니는 준비된 병실로 옮겨졌고, 순득 할머니는 그 사이에 도착한 아들 내외와 함께 의사 선생님의 상담을 받았다.

"아이고 선생님! 우리 동생 괜찮습니까?"

"걱정 마십시오. 뼈에는 이상이 없습니다."

"아이고 감사합니다. 선생님!"

"허리 주변으로 근육이 조금 뭉치시면서 순간 경련을 느끼신 듯 한데 한 일주일 정도 병원에서 머무시면서 물리치료 잘 받으시면 다시 좋아지실 거에요"

"선생님, 제 동생 잘 부탁 드립니다."

순득 할머니는 자리에 앉아서 연신 의사 선생님에게 고개를 조아렸다. 의사실에서 나온 순득 할머니의 큰 아들은 여전히 동생 걱정에 어쩔줄 몰라 하는 자신의 어머니를 복도 의자 쪽으로 조용히 모셔다 앉혔다.

"이제 어머니도 이모님도 좀 쉬십시오. 이렇게 일 하시다가는 두 분다 골병 드세요."

"그런 말 하지도 말어! 이 가게가 어떤 가게인데! 니들 두 남매 내가어디가서 아쉬운 소리 안하고 키우게 해준 게 다 이 가게 덕분이다!"

"그럼요. 다 알죠. 하지만 오늘처럼 이렇게 한 분이 쓰러지시면 어떻게 가게를 운영하시겠어요?"

"내가 아직 이렇게 멀쩡하게 살아 있는데 뭐가 문제냐? 다시는 또 같은 얘기 꺼내지 마라!"

순득 할머니는 큰 아들에게 손사래를 치면서 자리에서 일어나 순월할머니가 있는 병실로 향했다. 순득 할머니가 병실에 들어서자 마자 창가 쪽 침대 위에서 허리에 복대를 매고 누워있는 순월 할머니를 발견한뒤 아들 내외보다 한 발짝 더 앞장서 동생에게로 향했다.

"괘안노?"

순득 할머니의 목소리에 순월 할머니가 자리에서 일어서 앉으려는듯 몸을 움직였다.

"아니다! 일어나지마라!"

"언니야. 나는 괘안타."

순월 할머니는 아픈 허리에 인상을 쓸만도 한데 순득 할머니 앞에서는 여전히 어린 동생처럼 마냥 옅은 미소를 보였다. 한동안 순월 할머니 곁에서 떠나지 않으려는 순득 할머니를 급하게 간병인을 구했다며 겨우 달랜 것은 큰 아들이었다.

집으로 돌아온 뒤에도 순득 할머니는 동생 걱정에 잠자리를 연신 뒤척였다. 사실 순득 할머니가 잠을 설치는 이유는 따로 있었다. 순월 할머니가 부탁한 고양이들 때문이었다. 지금까지도 길에서 잘 살던 짐승들이 어련히 잘 살까 싶다가도 갓 태어난 새끼가 3마리인 어미 고양이가 이 도시 바닥에서 어떻게 먹을 것이 구 할지 괜히 마음이 쓰이기 시작했다. 이 어두운 밤에 국밥 집으로 나갈까 말까 고민을 하던 순득 할머니는 고양이 때문에 귀찮아 졌다며 괜시리 신경질이 나면서도 자리에서 일어나 국밥 집으로 향했다. 도착한 가게 창고 문은 살짝 열려 있었다. 순득 할머니가 조심스럽게 창고의 문을 여니 저 구석 안에 어미 고양이와 새끼 고양이 3마리가 서로에게 꼭 붙어 있는 것이 눈에 들어왔다. 아까 바닥에 떨어뜨린 닭고기는 이미 다 주어먹었나 보다. 닭고기를 담았던 빈 그릇만 바닥에 휑 하니 놓여져 있었다. 순득 할머니는 빈 그릇을 줍고 난 뒤 조심스레 고양이 가족들에게 처음으로 가까이 다가갔다.

"너 때문에 내 동생이 다친 거 아나?"

괜히 고양이 가족들에게 심통을 내보았다.

순득 할머니의 말에도 아랑곳 하지 않고 어미 고양이는 순득 할머니만 어둠 속에서 눈만 말똥말똥 거리며 쳐다보았다. 순득 할머니는 새끼들에게 젖을 먹이고 있는 어미 고양이를 가까이 내려다보니 전쟁 피난 길 어머니가 자신과 여동생을 꼭 안고서 길에서 잠이 들었던 순간이 떠올라 눈을 질끈 감아버렸다.

"에고 그때 울 엄마가 얼 매나 고생했지 모른다. 니도 니 새끼 그리 챙기려고 이 집에 들어왔나?"

순득 할머니는 오래 전 일이지만 그 때 고생한 생각을 하니 괜히 눈물이 먼저 앞을 가린다. 아니 고생한 일 때문이 아니라 그 고생을 감당하는 어머니의 모습이 겹쳐지기 때문이었다. 동생 순월 할머니가 고양이들을 걷어 드릴 때부터 이 감정이었다. 길가에서 언제 차에 치여 죽을지 굶어 죽을지도 모르는 고양이들이 마치 전쟁 통에 거리로 쫓겨난 어머니와 여동생 그리고 자신의 모습과 같아서 그때의 생각이 겹쳐져서 싫었다. 겨우 할아버지에 도착했지만 반가운 손님이 되지 못해서 고생했던 생각이 나서 싫었다.

"내 동생이 니들 돌봐주는 거 반에 반만 해줬어도 얼매나 좋았을고."

순득 할머니는 그 동안 숨겨온 아픔이 가슴 깊이 밀려 올라와 눈물이 주룩주룩 흘러내려 그 자리에 그냥 주저 앉아 엉엉 울어버렸다. 한참을 울었을까? 보드라운 무언가가 자신의 곁에 꼭 붙어 있는 것을 느낀 순득 할머니는 눈물을 멈추고 옆을 바라보았다. 언제 내려왔는지 어미 고양이가 자신의 엉덩이에 꼭 붙어서 고개를 자신에게 기대고 있었다. 순득 할머니는 한 참을 멍하니 고양이를 바라보다가 이내 조심스럽게 고양이의 머리를 살며시 쓰담아주었다.

일 주일이 지나고 순월 할머니가 드디어 병원에서 집으로 돌아왔다. 아직은 국밥 집을 나갈 정도로 회복되지 못한 순월 할머니는 집에 도착하는 순간부터 순득 할머니에게 고양이 가족의 안부를 물어보았다. 순득 할머니는 쓸데없는 걱정하지 말고 본인이나 잘 챙기라며 국밥 집으로 다시 횡 하니 나가버렸다. 며칠이 더 지나고 순월 할머니가 이제는 혼자서도 거동을 충분히 하게 되어서 국밥 집을 다시 나오게 되었다. 순월 할머니는 국밥 집에 오자마자 제일 먼저 고양이 가족들을 찾아갔다. 어미 고양이는 마실을 나갔는지 보이지 않고 새끼 고양이들만 덩그러니 남아 좁은 창고에서 자기들끼리 장난을 치며 놀고 있었다. 순월 할머니는 그 사이에 포동포동하게 살이 찐 새끼들을 보면서 흐뭇한 미소를 지었다. 가게로 돌아온 순월 할머니는 웃으면서 언니 순득 할머니를 찾았다.

"언니야, 우리 애기들이 그사이에 포동포동 살이 붙었다"

"넌 고양이들이 뭐가 그리 좋노?"

순득 할머니가 고양이에 대해서 물어 본 것은 이번이 처음이었다.

"언니야, 내는 길에서 서로 의지하는 고양이들을 보면 우리 어릴 때 그 좁은 방에서 엄마랑 언니랑 나랑 같이 꼭 붙어서 의지하던 때가 생각난다."

순월 할머니 말에 순득 할머니의 마음이 철렁 내려앉았다.

"그때 내가 너무 어려서 잘 기억이 안 나도 좁고 어두운 그 방에서 밤마다 엄마가 나랑 언니를 꼭 품에 안고서 자던 때는 선명하게 기억이 난다."

그때 밖에서 사람들의 웅성웅성한 소리가 가게 안까지 들려왔다. 무슨 일인가 싶어 순득 할머니와 순월 할머니는 가게 밖으로 나서자 자동차 옆에 고양이 한 마리가 쓰러져 있는 것이 먼저 눈에 들어왔다. 두 사람 모두 한 번에 알아봤다. 창고에 있는 세 마리의 새끼 고양이들의 어미 고양이였다. 순월 할머니는 고양이가 자동차에 치여서 누워 있는 광경에 어찌할 바를 몰라 두 발을 동동 굴렀다. 그때 옆에 있던 순득 할머니가 어미 고양이에게 달려가 고양이를 품안에 앉았다.

"뭣들 하는 것이여? 구경들만 말고 어서 의사 선생님이라도 불러와!"

순득 할머니의 말에 동네 주민 한 분이 나서서 가까운 동물 병원으로 고양이를 품에 안은 순득 할머니를 모시고 갔다. 뒤 늦게 가게 문을 닫고 다른 사람의 도움으로 동물 병원에 도착한 순월 할머니는 병원 안으로 헐레벌떡 들어서면서 언니를 애타게 찾아 불렀다.

"언니! 어디 있는가?"

순월 할머니의 목소리에 구석에 앉아 있던 순득 할머니가 동생을 불렀다.

"순월아."

"언니야!"

순월 할머니는 순득 할머니에게 다가가 그녀의 손을 꼭 잡았다.

"괜찮나?"

"우리 고양이가……"

순득 할머니는 말을 이어가지 못할정도로 목이 메어왔다.

"왜? 죽었나?"

순월 할머니의 손도 벌벌 떨려왔다.

"아이다. 안 죽었다. 겨우 살아 있다."

"아이고, 애썼다."

순월 할머니는 안도감에 순득 할머니를 꼭 안았다.

"순월아. 나는 길고양이들을 보면 그렇게 엄마랑 우리가 고생했던 때가 생각나서 싫었다. 그것뿐이지 고양이 걔네 들은 하나도 잘 못 없다."

순월 할머니는 갑작스러운 순득 할머니의 말에 언니를 품에서 놓아주고 천천히 그녀의 얼굴을 바라보았다.

"나는 엄마가 우리 돌본다고 피난길에서나 할아버지 집에서나 그렇게 고생만 하던 때가 생각나서 싫었다. 그뿐이다."

"안다. 언니야. 언니가 나쁜 사람 아닌거 다 안다."

순월 할머니는 순득 할머니의 손을 꼭 잡으며 말해주었다.

"언니야. 니도 고생 많았다. 그렇게 고단하게 살면서 내 걱정까지 하느냐고 얼마나 고생 많았노?"

순득 할머니는 순월 할머니의 얼굴을 어린 아이를 대하듯 연신 쓰담아 주었다.

그 날 어미 고양이를 병원에 입원 시킨 뒤 집으로 돌아오는 길, 두 사람은 국밥 집에 들려서 동물병원에서 산 커다랗고 포근한 쿠션을 창고로 가져갔다. 창고문이 열리자 서로에게 꼭 붙어 앉아있던 새끼 고양이들은 문소리에 깜짝 놀란 듯 귀를 쫑긋하며 문 쪽으로 나란히 쳐다보았다. 순득과 순월 할머니는 창고 안을 조금씩 정리한 뒤 사온 커다란 쿠션을 새끼 고양이들을 위해 깔아주었다. 그 안이 쏙 맘에 들었는지 연신 킁킁 냄새도 맡으며 새끼 고양이들은 쿠션 안을 탐구 하였다.

"느그 엄마는 살아서 돌아올끼다. 그때까지 걱정하지 말고 잘 크기나 해라."

순득 할머니는 처음으로 고양이들을 바라보면서 옅은 미소를 지어보였다.

3장

최고의 복수

혜정은 30대가 된 뒤 첫 뉴욕 가을 저녁을 즐기기 위해 집을 나섰다. 혜정은 무의식적으로 집에서 가까운 브라이언트 공원으로 향했다. 혜정이 뉴욕에 온 이유는 공식적으로는 직장 때문이고 사적으로는 필라델피아에서 MBA 재학 중인 약혼자 유진 때문이었다. 정확하게 말하자면 이제는 전 약혼자가 된 사람. 혜정이 이별을 한 것은 올해 1월이었다. 한 달에 꼭 두 번 정도는 공부 때문에 바쁜 유진을 위해 혜정이 뉴욕에서 필라델피아까지 버스를 타고 그를 만나러 갔다. 그리고 가끔 뉴욕 은행가에서 인터뷰를 보거나 간단한 업무가 있을 때 유진이 뉴욕으로 왔다. 하지만 유진이 혜정을 만나기 위해 뉴욕에 왔 다기 보단 볼 일을 보러 온 김에 의무감으로 그녀를 만난다는 걸 혜정도 조금씩 깨달아 갈 때쯤 결국 이별 통보를 받게 되었다.

　　선선한 바람을 느끼면서 브라이언트 공원에 도착한 혜정. 그제서야 자신이 어디에 있는지 깨닫는다. 푸른 잔디밭 위에 금가루처럼 뿌려진 황금빛 가로등 불빛을 따라가다 보면 파리 보자르 스타일 건축물로 유명한 뉴욕 공립 도서관이 눈에 들어온다. 지금이라도 어느 멋진 파리 귀족이 긴 망토를 휘두르며 나와 모두에게 키스를 던질 것 같다. 혜정은 순간 가슴 깊이 분노가 끓어오른다. 브라이언트 공원은 유진이 자신에게 프로포즈를 했던 장소이다. 그렇게 이 공원은 혜정에게 큰 의미가 되었다. 그러한 이유로 비싼 월세를 감수하면서 혜정은 공원 근처로 집을 구했었다. 그런데 지금은 이 곳이 자신에게는 최악의 장소가 되어버렸다니 감히 자신을 차버린 유진과 겹쳐져서 가슴 깊은 곳에서 뜨거운 무언가 치밀어 올라온다.

'나의 꽃 같은 5년…… 반드시 복수하고 말 테다'

혜정은 자신도 모르게 두 주먹을 불끈 쥐었다. 자신 같은 여자를 놓친 것을 반드시 후회하게 만들어 주리라. 5년 전 혜정은 한국어, 영어 그리고 중국어까지 잘 구사한다는 이유로 뉴욕무역회사에 취직을 하게 되었다. 하지만 유진이 MBA를 졸업하고 가게 될 미국 대표 은행들에 비하면 자신의 경력은 새 발의 피다. 물론 어딜 가나 여러 미인들과 비교해도 꿀리지 않는 키와 매력적인 얼굴을 가졌다고 칭찬을 받아왔지만 이것 만으로 어떻게 시원한 복수를 하냐는 말이지.

이런 혜정에게 좋은 아이디어가 있다며 미묘한 미소를 보낸 자가 있었는데, 혜정의 뉴요커 친구 로라였다. 30대 후반 흑인여성 로라는 뉴욕에서 대형 마케팅 회사에 다니며, 많은 유명 회사들의 행사들을 진행해왔다. 로라는 유일하게 혜정이 마음의 문을 열고 많은 이야기를 나눌 수 있는 큰 언니와 같은 사람이다. 그리고 오늘 저녁, 혜정은 로라와 일식 레스토랑에서 이 복수를 의논하기 위해 저녁식사를 하기로 하였다.

약속시간이 되자 혜정이 먼저 레스토랑에 도착했고, 자리를 안내 받았다. 그리고 곧이어 레스토랑으로 들어온 로라는 멀리 입구에서 혜정을 발견하고는 웨이터의 안내도 뿌리치며 빠른 걸음으로 다가와 혜정의 건너편 자리에 앉자마자 다짜고짜 질문부터 혜정에게 던진다.

"혜정, 너 다음 달 15일 토요일저녁에 시간 있지?

"나? 15일이라…… 토요일 저녁이니까 아무 일 없을 것 같은데"

"좋아!"

로라는 윙크와 함께 웃음을 지으며 한 쪽 눈썹을 치켜 올린다.

그때였다. 레스토랑 웨이터가 어느 남성을 혜정과 로라의 테이블로 안내하여 데려왔다. 그는 훤칠한 키를 자랑하며 말끔한 스타일로 로라와 비슷한 나이대의 백인 남성이다.

"잭!"

로라가 그 낯선 사람을 보자마자 자리에서 벌떡 일어나 반가운 포옹으로 인사를 전했다. 편안하게 웃고 있는 두 사람을 보니 혜정은 그들이 가까운 사이라는 것을 한 눈에 알 수 있었다.

"잭! 여기에 앉아."

로라는 잭에게 혜정과 자신의 자리 사이에 있는 의자를 가르쳤다.

"혜정! 여기 내 대학동창 잭이야. 인사해."

혜정은 자연스럽게 잭에게 시선을 돌렸다. 잭도 무언가 알고 있다는 듯이 젠틀한 미소를 혜정에게 보이며 먼저 인사를 건넸다.

"만나서 반가워. 너가 혜정이구나. 너의 이름을 말할 때 나의 한국어 발음이 괜찮았나?"

처음보는 상대방이 아무렇지도 않게 자신과 거리를 좁히며 대화를 하자 혜정은 당혹스러움에 다소 말을 더듬거린다.

"그냥 당신은 나를 그레이스라고 불러. 내 한국 이름은 친한 사람들만 부르는 거라고!"

"하하. 나도 이제 곧 친해질 텐데 혜정이라고 부르지. 내가 좀 더 연습해볼 게"

혜정은 잭의 당돌한 대답에 눈썹이 살짝 올라갔다. 긴장감이 다소 도는 그들 사이에 로라가 끼어들었다.

"자! 이제 우리 모두 한 패인데 다들 긴장감 좀 내려놓고 진지한 얘기 좀 하자고"

"로라? 도대체 이게 무슨 상황이지?"

혜정의 얼굴이 울그락 붉그락 해졌다.

"그 놈한테 복수하고 싶다며?"

"유진? 그거야……"

로라는 그제서야 자신의 핸드백 속에서 종이 몇 장을 꺼내 들어 한 손으로 종이뭉치를 하늘 위로 번쩍 들어올렸다. 화려한 샹들리에 불빛이 하얀 종이뭉치 위로 떨어져 마치 보석처럼 빛났다.

"이게 뭔지 아니? 이게 바로 우리회사에서 의뢰를 맡은 행사, 즉 다음 달 15일 토요일에 열리는 모건 스탠리의 자선파티 초청 리스트지!"

모건 스탠리라는 이름을 듣자 혜정은 유진과 헤어지기 전에 유진이 인터뷰를 봤던 미국 최대 투자회사라는 것을 바로 알아차렸다.

"이 초청 리스트 누가 있는지 아니? 그 놈의 새끼! 너 전 약혼자 유진이 있어!"

"유진이 모건 스탠리에 붙은 거야?"

혜정은 놀라움에 입이 쩍 벌어졌다.

"그러게. 될 놈은 되나 보다. 너 같은 여자를 차버리고도 이렇게 좋은 대기업에 철썩 붙어 버렸네."

혜정은 어이가 없고 기가 죽어 숨이 안 쉬어지는 것 같다 입만 그저 딱 벌린 채 동그랗게 커진 눈만 깜박깜박 할 뿐이다.

"로라! 이게 무슨 복수야? 그 놈이 잘 된 뉴스가 어떻게 복수지?"

"워워…… 내 얘기를 끝까지 들어야지! 자! 여기 멋진 미남 잭으로 말할 것 같으면 바로바로 모건 스탠리의 최연소 팀장이지! 바로 너의 전 약혼자 유진의 상사가 된 분이라고!"

혜정은 로라의 말에서 무언가 복잡한 상황의 실마리를 찾은 듯 눈을 게슴츠레 뜨고 잭을 다시 위 아래로 주의 깊게 쳐다보았다.

"로라. 그러면…… 내가 어떻게 복수를 할 수 있다는 거지?"

"자 이제서야 말이 통하는 군. 너는 그저 아주 간단한 일만 하면 돼."

"그게 뭔 데? "

"다음 달 모건 스탠리 자선파티에서 잭의 여자친구 노릇만 제대로 하면 돼!"

"뭐라고? 내가 왜? 이 모르는 사람의 여자친구 연기를 해야 해?"

혜정은 로라의 말에 괜히 잭을 보고 인상을 찌푸린다.

"내가 여자친구 노릇을 한다고 누가 배라도 아파해?"

"빙고! 혜정! 잭도 지금 복수해야 할 사람이 그 자선파티에 나타나거든"

"잠깐, 내 얘기는 내가 하지. 나의 복수 상대는 모건 스탠리 임원진의 딸이야. 바로 내 전 여친이지. 그녀가 얼마 전에 나를 찼어."

혜정은 잭의 이야기를 듣자마자 순간 자신과 전혀 상관없는 사람이라고 여겼던 잭이 아주 가까운 친구처럼 느껴졌다.

"계속 얘기해보세요."

혜정은 자신의 궁금증을 주체할 수가 없어 자신도 모르게 몸이 잭 쪽으로 기울였다.

잭은 로라를 통해서 우연히 혜정의 이별에 대해 알게 되었다고 이야기를 해주었다. 이번 자선파티에는 수많은 주요업계 VIP게스트들과 자신의 고객들도 오는 자리인지라 이미지 관리가 상당히 중요하다고 말해줬다. 그리고 임원진 딸에게 차인 남자로 소문이 나 무시당하는 일을 모면하고 아직 이별이 모두에게 공개되지 않은 이 시기에 자신이 먼저 새로운 여자를 소개해 모두가 이 이별의 결정권이 잭 자신에게 있었다는 것을 모두에게 인지시키는 것이 그의 목적이었다. 돈을 주고 아르바이트생을 구할 수도 있지만 자신과 비슷한 상황이 놓인 혜정이라면 더 적극적으로 이 일에 인볼브 할 것이라 믿어 오늘 이렇게 이 자리까지 오게 된 것이라고 설명해주었다.

"간단하게 설명하자면 이런거지! 이해되었나?"

혜정은 순간 잭의 진지한 눈빛을 보자 지금까지의 의심이 사라진다.

아무리 MBA출신이라지만 갓 은행바닥에 발을 들여놓은 애송이 유진이 자신의 최연소 팀장이자 능력자 상사 옆에 전 약혼자가 서 있는 것을 발견하며 얼마나 놀라고 배 아파할까? 혜정은 상상만으로도 기분이 좋아졌다. 혜정은 이제서야 미소를 지으며 잭에게 손을 내민다.

"그날 전 제 근사한 다리가 돋 보이는 화려한 드레스를 준비하겠어요."

혜정의 입 꼬리가 살짝 올라가자 잭도 손을 내밀어 혜정의 손을 잡고 그 둘은 마치 비지니스 거래가 이루어진 듯 악수를 했다. "두 사람 그러지 말고 내일 당장 우리 회사 쇼룸으로 와서 옷을 고르자. 우리 회사에 의상을 맡기는 럭셔리 브랜드사들이 많거든. 내가 빌려줄 수 있어."

로라의 말에 혜정과 잭이 동시에 또다른 협력자 로라를 향해 미소를 지어 보낸다.

다음날 로라네 회사 쇼룸에 모인 의미심장한 모습의 세 사람. 로라는 자선파티에서 입을 여러 럭셔리 의상들을 가득 꺼내어 혜정과 잭에게 보여주었다. 혜정과 잭은 각자 피팅 실에서 첫번째 의상으로 갈아입고 나와 쇼룸 안 커다란 벽 거울 앞에 누가 뭐라 할 것도 없이 서서 팔짱도 껴보며 자신들이 얼마나 멋진 커플 같아 보일지 이리저리 가늠해 보았다. 각자 자기만의 상상에 빠져서 이리 저리 포즈를 취해본다. 그리고 다시 두번째 의상으로 갈아 입고 같은 포즈를 반복해 나갔다. 그렇게 여러 의상들을 시도한 끝에 딱 맘에 드는 의상들을 선택한 세 사람은 서로와 두 손 바닥을 짝짝 마주치며 기쁨을 나누었다. 그 날의 임무를 완료한 로라는 쇼룸을 떠나려는 잭과 혜정에게 1주일 뒤 만나 사람들의 갑작스러운 질문들을 대비하기 위하여 서로에 대해서 알아가는 시간을 가지자고 제안을 하였다.

1주일 뒤 로라가 소집한 작전 모임이 있는 토요일이 다가왔다. 그들은 잭의 집 앞 작고 코지 한 그의 단골 카페에 모여서 각자가 좋아하는 음식, 색깔, 여행지 등등 로라가 준비해 온 기초 질문서에 답을 해 나갔다. 혜정은 커다란 키의 잭이 가장 무서워하는 것이 겨우 바닷속 작은 생명체에 불과한 말미잘이라는 말에 크게 소리 내어 웃어 버리기도 하고, 평소 자주 마시는 칵테일은 콜라를 뺀 롱 아일랜드라는 말에 엄청나게 크리에이티브한 아이디어라며 존경의 박수를 치기도 했다. 혜정이 지금까지 한국음식을 제대로 만들어 본적이 없다고 말하자 혜정은 잭과 로라의 엄청난 양의 놀림을 견뎌야만 했다. 그들은 잭이 추천하는 카페 스페셜 라떼 메뉴를 2잔씩이나 마시며 어떻게 하면 모두에게 가장 완벽한 연인으로 보일 지 고심하며 하루를 즐겁게 보냈다.

또 다른 1주일이 지나 그들의 작전 모임 날이 또 다가왔다. 이번에는 로라가 각자의 취미생활을 함께 해보자고 제안을 한 날이다. 로라는 혜정과 잭을 위하여 야외 테니스장을 미리 예약해주었다. 대학교 시절 잭은 교내 테니스 대표를 할 정도로 프로선수만큼의 실력을 가지고 있다. 하지만 혜정은 10회 정도의 레슨을 오래 전에 받았을 뿐 이후로는 테니스를 제대로 쳐본 적이 없다. 그래서 잭과의 테니스 대결에서 혜정은 마치 리트리버 강아지처럼 공만 하루 종일 쫓아다니는 꼴이 되어버렸다.

"헉헉. 아 나 정말 더 이상 못 하겠어!"

혜정이 드디어 테니스 라켓을 던져버리고 바닥에 숨을 헐떡거리며 대자로 누어버렸다.

"혜정 너는 오늘 공을 한 번도 제대로 치지 못 했네. 뭘 한 건지는 모르겠지만 확실히 힘들어 보이기는 해."

잭이 비꼬듯 놀리자 혜정은 바닥에 힘없이 누워서도 겨우 손에 닿은 라켓을 집어 얄미운 잭에게 던져버렸다.

  테니스가 끝나고 혜정은 자신이 좋아하는 디저트 가게에 로라와 잭을 데려갔다.

  "아니, 취미가 디저트라고?"

  잭이 믿기지 않는다는 표정으로 눈썹을 치켜 올린다.

  "맛집 탐방 몰라? 이게 여자들 사이에서 얼마나 최고의 취미인데!"

  혜정도 한 마디도 지지 않는다. 로라도 혜정에게 한 표를 던진다.

  "난 단 디저트는 하루에 하나 혹은 아예 안 먹는 게 좋다고 생각해. 건강에 너무 해로운 재료들만 가득 넣은 것 뿐이잖아!"

  "아니! 절대로! 단 성분이 얼마나 정신건강에 좋은데. 잭도 계속 먹다 보면 이해하게 될 거야"

  잭은 달콤한 활동감에 빠진 로라, 혜정 두 여자를 한심한 듯 쳐다볼 뿐이다.

  혜정은 집으로 돌아와 바로 샤워를 하러 욕실에 들어갔다. 거울속에 비친 모습에 피식 웃음이 나온다. 오랜만에 땀으로 범벅 되어져 있는 자신을 보면서 지난 몇 개월간 왜 이렇게 신나본 적이 없을까 후회가 된다. 이별의 아픔 때문에 집안에 스스로를 가둔 채 보낸 시간들이 순간 아깝다고 느껴졌다.

  핸드폰이 울린다.

  "로라! 잘 들어갔어? 오늘도 너무 고마워! 즐거웠어!"

  "어떻게 잭의 여자친구가 될 준비가 잘 되어가는 것 같아?"

"하하하, 아직까지는 나와 너무 다른 사람이라서 조금은 더 노력해야 겠지만 어쨌든 그날 우리는 완벽한 커플이 될 수 있을 것 같기는 해. 나만 믿어!"

"하하하 혜정, 왠지 너가 다시 예전의 에너지를 찾은 것 같은 이 기분은 뭐지? 나까지 기분이 좋아진다!"

"정말? 다 로라덕이야. 너가 나에게 화끈한 복수를 할 기회를 만들어 준거잖아! 로라, 혹시 아직 침대에 들어간 거 아니라면 지금 다시 나와! 내가 한 잔 사야겠어! 괜찮지?"

"혜정 너 내가 지금 잭이랑 간단하게 한 잔하려고 펍에 가고 있는 거 어떻게 알았어? 너야 말로 당장 튀어나와!"

혜정은 로라의 말에 큰 미소를 지으며, 예전 같았으면 절대로 땀에 젖은 채 새옷을 입지 않았겠지만 바로 나가고 싶다는 생각에 옷장에서 옥스포드 티쳐츠와 진을 꺼내 입고 로라와 잭이 있는 펍으로 달려갔다.

펍에 도착하니 잭과 로라가 마치 오랜만에 혜정을 만나는 사람들처럼 그녀는 반갑게 맞이해줬다.

"혜정 뭐 마실래? 내가 쏠게"

"고마워 잭! 잭이 지난번에 마신다는 콜라가 없는 롱아일랜드를 나도 마셔보고 싶어"

"취향이 아주 내 스타일이 되어가는 군! 좋은 태도야! 레이디. "

잭은 장난스럽게 윙크를 하고 바에서 혜정을 위해 주문을 했다. 잭이 가져온 콜라가 없는 롱아일랜드를 단숨에 마셔버리는 혜정을 급하게 잭이 말린다.

"어. 조심해! 맛은 달콤한 레몬에이드 같겠지만 그 안에는 술이 강하게 들어져 있다고."

"잭! 쟤 한국여자야. 걱정 하지마. 지금까지 혜정을 술자리에서 이겨 본 남자를 별로 본적이 없어. 그 정도로 술에 강해."

혜정은 빈 잔을 테이블에 자랑스럽게 탁 소리가 날 정도로 올려놓고서 한 잔을 더 주문했다.

"정말 알다가도 모를 여자군"

잭은 입꼬리가 살짝 올라간다.

잠시 뒤, 잭과 혜정은 술에 취한 로라를 안전하게 로라의 아파트까지 데려다 주고 자신들도 술에서 깨기 위해 잠시 거리를 걷기로 하였다.

"오늘도 너무 재미있었다!"

혜정이 정말 기분이 좋은 듯 허공에 소리쳤다.

"오늘이 그렇게 재미있었던 하루인가?"

"넌 몰라 잭, 나는 지난 몇 개월간 기죽은 강아지처럼 집안에만 쳐박혀 있었다고! "

"약혼자랑 헤어진 것 때문에?"

혜정은 차마 말로 대답하기 싫어 고개만 끄덕인다.

"혜정, 내가 하나만 물어보자. 너는 왜 복수를 하고 싶은 거야?"

"당연히 그 나쁜놈이 후회하고 후회했으면 좋겠어서. 평생 후회해라! 그런데 잭은?"

"나도 비슷한 보복심리에 사회적 위치를 고려한 자존심 싸움이라고 해야 할까?"

"참…… 나도 그렇지만 너처럼 잘 배우고 잘사는 사람도 이런 복수라는 걸 한다니 신기하긴 해. 가진 사람들이 더 한다니까"

"하하하 그게 무슨 말이야?"

"한국에 그런말이 있어. 가진 사람들이 더 한다. 말 그대로 많이 가진 사람들이 무엇가도 더 많이 한다. 그게 복수든 뭐든"

그들은 잠시 아무 말없이 달빛을 즐기며 뉴욕 밤거리를 걸었다.

다시 정적을 깬 것은 혜정이다.

"우리 이 복수가 끝나면 속 시원하게 다시 사랑하고 아무렇지도 않게 일상으로 돌아갈 수 있을까?"

"혜정 나도 그 생각을 많이 했어. 그 하루동안 내가 뭘 하던 내 자신에게 눈을 감아주자 하지만….."

혜정이 갑작스럽게 걸음을 멈춰버린다. 잭도 혜정 옆에서 아무 말 없이 걸음을 멈춘다. 두 사람 모두 이 복수 이후에 오는 것들에 대해 미쳐 생각하지 못했다는 사실을 깨닫자 이 복수에 대해 처음으로 의심을 하게 되었다. 혜정은 집에 도착하여 따뜻한 샤워를 하고 침대에 누웠지만 한숨도 잠을 이룰 수 없었다.

복수의 날이 하루 앞으로 다가온 날, 혜정은 마지막 모임 장소에 도착했다. 하지만 땅이 꺼지듯 크게 한숨이 먼저 흘러나온다. 그녀는 석상처럼 몸이 굳어 그 자리에 가만히 서서 눈앞에 펼쳐진 아름다운 브라이언트 공원을 조용히 바라보기만 하였다. '하필이면……' 장소가 주는 나비효과처럼 아직도 마음속에 쓴 뿌리로 남아 있는 유진과의 추억들과 지난 8개월 동안의 눈물들이 다시 영화 속 장면처럼 머릿속을 지나쳐간다. 수 없이 같이 웃고, 같이 울며 서로의 품을 내주고 아무것도 바라지 않고 그저 사랑했던 그 시절. 왜 그때로 다시 돌아갈 수 없는지 사실을 받아들일 수 없어 매일 눈물로 베개를 적시던 나날들. 너무 고통스러울 때는 그 고통마저 유진과 관련된 것이라며 스스로를 위로하기도 하였다. 그때가 다시 기억이 나니 눈물이 핑 도는 것 같아 눈을 꼭 감았다. 그때였다.

"혜정….."

혜정은 낮은 목소리가 자신의 이름을 부르며 넓고 따뜻한 품으로 차갑게 굳어버린 자신의 몸을 감싸는 것이 느껴지자마자 현실의 끈을 결국 놓아버리고 과거 순간으로 돌아가버렸다. '너니? 너가 돌아온 거니?' 혜정은 눈을 조심히 뜨며 자신에게 품을 내어준 사람을 찾아 고개를 살며시 돌렸다. 그 곳에는 혜정의 작은 기대를 비웃듯 잭이 마치 개구장이 어린아이처럼 커다란 웃음을 지으며 혜정의 뒤에서 그녀를 꼭 안고 있었다.

"일찍 나왔네! 지금 여기 있는 사람들이 보면 우리가 딱 연인 같아 보이겠지? 내 연기가 확실히 점점 더 자연스러워졌어. 할리우드로 가야하나? 참! 로라가 좀 늦는다고 하는데 문자 봤어?"

잭은 언제나 그렇듯 씩씩한 목소리로 몇 마디를 아무렇지도 않게 던진 뒤 혜정을 자신의 품에서 자유롭게 풀어줬다. 하지만 바로 혜정의 표정이 좋지 않음을 깨닫고 미간을 찌푸린다.

"어디 아파?"

혜정은 과거에서 현실로 돌아오기 위해 고개를 빠르게 몇 번 흔든다.

"아니야. 전혀! 그저 좀 일찍 도착해서 이런 저런 생각을 하고 있었어."

혜정은 과거와 현실에서 방황하고 있는 자신의 모습을 들키고 싶지 않아 잭과 눈을 마주치지 않으려 황급하게 몸을 돌렸다. 공원내 빈 야외 테이블 자리가 눈에 들어오자 그쪽으로 향해 한 발짝 내딛자 잭이 혜정의 한 손을 잡았다.

"상황으로부터 도망가지마."

혜정은 마치 잭에게 자신의 엉클어져 있는 마음을 들킨 것 같아 순간적으로 감정의 화가 치밀어 오른다.

"난 너랑 달라! 로보트 같은 마음을 가진 사람이 아니라고! 난 용감하게 이 모든 상황을 다 아무렇게 대할 수가 없다고! "

혜정이 두 주먹을 꼭 쥔 채 잭을 향해 소리를 질러버렸다. 마치 털을 바싹 세운 겁에 질린 한 마리의 아기고양이 같다. 하지만 잭의 목소리는 여전히 차분하게 들려져 왔다.

"난 일단 로보트가 아니고, 나도 마음의 상처라는 걸 느끼는 사람이야. 그저 난 최대한 이성적으로 상황을 마주보고 헤쳐 나가고 싶을 뿐이야."

"너 같은 사람들은 다 똑같아! 하루 종일 어느 숫자가 더 자신에게 이득이 되는 지, 그저 이윤에만 관심있고 그것을 방해하는 것은 다 적 취급하고! 자신을 한 계단 올려줄 수 있는 사람을 찾아 떠나 버리기나 하고 그게 운명이라고 쉽게 단정지어 버리고! 마치 잘 코딩 된 컴퓨터 프로그램처럼 계산적으로 살아가면서 내가 어떻게 사랑했는데 왜 내 사랑은 그저 부족하다고만 말하는 거야?"

혜정은 자신의 뺨이 젖는 것을 느끼자 말을 멈췄다.

'아⋯.. 왜 갑자기 폭주했지?' 혜정은 유진대신 자신의 원망을 감당하고 있는 잭을 바라보며 사과를 했다.

"미안해. 내가 민감하게⋯⋯"

"괜찮아. 우리 두 사람은 서로를 알아가는 중에 있잖아. 이런 모습도 너라는 걸 알고 있을 게."

자신에게 화를 낼 것이라고 생각했는데 그와 달리 잭이 아무 일도 아니라는 듯이 어깨를 으쓱하는 모습을 보자 혜정은 신선한 충격을 받았다. 하지만 교란되는 마음들 때문에 이곳에 더 이상 있고 싶지가 않다.

"잭. 나 아무래도 오늘은 모임을 가지지 못 할 것 같아. 로라에게 잘 설명해줘. 난 그냥 갈게."

혜정은 감정적으로 폭발해버린 자신의 모습을 생각하니 두통이 몰려온다.

'하필 오늘⋯⋯'

혜정은 내일 아무렇지도 않게 잭은 행사장에서 만날 생각을 하니 오늘에 대해 후회가 밀려온다.

혜정은 잭에게 약속한대로 자신의 아름다운 곡선을 자랑하는 다리가 예쁘게 노출되는 오픈 드레스를 입고선 모건 스탠리 자선 파티가 열리는 호텔 로비에 도착하였다. 원래대로라면 잭을 만나서 그의 에스코트를 받으면 입장하는 것인데 어제 이후 잭도 연락이 없기에 혜정도 먼저 연락하기가 어려웠다. 로라가 손님들을 맞이하고 있던 업무를 잠시 다른 이에게 미루고 혼자 있는 혜정을 발견하고서 달려와 다급하게 귓속말로 속삭인다.

"아니 도대체 너희들 어제 무슨 일이 있었던 거야? 아니 왜 너는 혼자고 잭은 아직도 연락이 안 되는 거야?"

로라는 소리를 낮추며 말하지만 다급함이 느껴진다.

"혜정, 어제 무슨 일이 있었는지는 나는 상관없어. 지금이라도 늦지 않았으니까 당장 잭을 찾아내서 여기로 데려오고 잭과 함께 오늘 멋지게 복수에 성공하라고!"

로라의 응원에 혜정은 우선 어제일은 나중에 걱정하기로 하고 우선 잭을 찾아 나서기로 했다. 우선 핸드폰을 꺼내어 용기 있게 잭에게 전화를 걸었다. 로라의 말대로 전화기가 꺼져 있다.

'어제 내가 많이 심했었나?'

혜정은 잭이 조금씩 걱정되기 시작한다. 혜정은 서서히 모여드는 사람들 사이를 헤집고 잭이 있을만한 장소를 찾아 행사장 안으로 나서기로 들어갔다. 하지만 잠시 뒤 잭을 찾아 나서는 일을 포기해 버린다.

'아니, 이런 호텔 행사장에서 사람이 어디에 숨는다고.'

혜정은 아무래도 잭이 오늘 행사에 오지 않을 것 같다는 직감을 느낀다.

'나 혼자서 어떻게 하지?'

혜정은 순간 전쟁터에 혼자 남겨진 것 같아 두려움이 밀려든다. 혜정은 주변을 급하게 두리번거리며 혹시나 어디선가 자신을 보고 있을지도 모르는 유진을 찾는다. 하지만 다행이 아직 유진도 행사장에 도착하지 않은 것 같다.

'이제라도 도망가야 하나? 어차피 잭도 도망친 거나 다름없잖아.'

혜정은 도망가려면 지체하지 말고 지금이라도 당장 움직여야 한다며 생각을 행동으로 급하게 옮겼다. 혜정은 뒤도 옆도 보지 않고 자신이 들어온 행사장 문을 향해 씩씩하게 걸어 나가던 찰라 강한 무언가의 뒤통수를 맞은 듯 머리가 띵하며 자동으로 자리에서 멈춰 버렸다.

'최악이야.'

유진이 말끔한 검정 수트를 입고서 처음보는 아름다운 여성을 에스코트하면서 행사장으로 들어오고 있었다. 그런 유진을 마주하자 혜정은 세상이 다시 한 번 더 무너지는 기분이 밀려들어온다. 유진도 생각지도 못한 장소에서 혜정을 마주하자 당황하는 모습을 보이다 옆에 있는 여성을 의식한 듯 혜정을 모른척하며 혜정을 지나쳐 행사장 안으로 들어가버렸다.

'아…… 지금이라도 이 호텔 꼭대기 층으로 올라가서 뛰어내려야 하나?'

혜정은 절망스럽고 혼란스럽다.

'왜 나만 이런 일을 당하는 거지?'

다리가 후들후들 떨린다. 도저히 움직일 수가 없다. 겨우 침착하게 심호흡을 하니 조금은 걸을 수 있을 것 같다. 혜정은 한시라도 빨리 이곳을 벗어나기 위해서 한 발짝 앞으로 나섰을 때 누군가가 자신에게 말을 걸 듯 음성이 들려왔다.

'상황으로부터 도망가지마.'

혜정은 순간 잭이 행사장에 도착했나 싶어 자신의 아군 잭을 급하게 찾아 두리번거리지만 잭의 모습은 여전히 보이지 않는다. 혜정은 그제서야 자신의 마음의 소리를 들었다는 것을 깨닫는다. 작게라도 남아 있던 자존심과 용기가 전해주는 소리였다.

'도망가지 않으면 내가 어떻게 해야 하는 거야? 잭이라면 어떻게 했을까? 침착해 져야 해'

마음의 소리와 싸우는 혜정은 금방이라도 울어버릴 것 같다.

잠시 뒤 혜정은 큰 심호흡과 함께 무언가 다짐이라도 한 듯 행사장으로 나가던 방향에서 다시 행사장 안으로 몸을 틀었다.

'난 복수를 하러 온 거야. 그러면 그 목표를 반드시 이루고 나가야지'

혜정은 전쟁터에 나서는 여군처럼 양주먹을 꼭 쥔 채 홀로 행사장 메인 스테이지로 향했다. 하지만 시선은 바에서 아름다운 여성과 샴페인을 마시고 있는 유진에게 향했다. 심장이 날카로운 것으로 할퀴어지는 기분이 든다.

'아프면 아프라지. 어차피 더 이상 더 아파질 구석은 없잖아,'

혜정은 당당하게 고개를 들고 어깨를 피자 옆에서 어느 낯선 남성이 말을 걸어온다.

"안녕하세요. 처음 뵙겠습니다. 저는 피터라고 해요."

혜정은 생각지도 않게 누군가가 말을 걸어오자 아군인지 적군인지는 모르겠지만 우선 조금이나마 안심이 든다.

"안녕하세요."

혜정은 도도한 미소와 함께 간단한 인사를 전한다.

"혹시 동행이 없으시다면 저기 바에서 샴페인 한 잔 어떠신가요?"

"아. 죄송해요. 제가 행사장에서는 술을 좀 조심하는 편이라 서요. 저는 천천히 마시도록 하겠습니다."

남성은 자신의 제안을 거절하는 혜정에게 좀 더 호기심을 느끼는지 계속 말을 걸어왔다. 그럴 때마다 혜정은 재치 있게 이야기의 주제를 비즈니스 대화로 자연스럽게 넘겼다. 혜정과 남성의 비즈니스적 대화가 시작되니 혜정 주변으로 한 두명씩 사람들이 더 몰려들어 그들의 이야기를 함께 참여하였다. 어느 순간 혜정은 자신이 이야기를 주도하고 있음을 깨달았다. 흔히 말해 어깨에 힘이 들어가는 기분이 든다.

그때였다. 혜정의 눈에 잭이 압도적인 포스로 자신에게 다가오는 것이 보였다.

잭은 혜정과 로라와 함께 골랐던 깔끔한 수트를 입고 옅은 미소로 혜정에게 다가왔다. 남들 보기에는 백마 탄 왕자가 혜정 앞에 나타난 것처럼 보이지만 혜정은 늦게 나타난 잭을 지금 당장 한 대 치고 싶다. 하지만 혜정은 살짝 미소를 지으며 잭만 들리도록 작은 소리로 말을 건넨다.

"왜 이렇게 늦은 거야?"

"아직 있었네? 내가 없어서 도망쳤을 거라 생각했는데"

"흥. 도망은 너가 친 줄 알았는데. 아니었나봐?"

"잠깐 일이 좀 있어서. 오기전에 정리를 했어야 해서."

그들은 거의 복화술에 가까운 대화를 하고 있었다. 정상적인 대화를 잭이 먼저 시작했다.

"자 나를 기다린 것 같은데 바에 가서 우선 샴페인을 마시지. 곧 행사도 시작할 것 같은데."

잭은 차분한 말과 다르게 손은 혜정이 거절할까 그녀의 팔을 붙잡은 채 바로 이끌었다. 혜정은 이왕 갈 거 자신의 의지로 가겠다며 잭의 팔을 뿌리치고 오히려 잭에게 팔짱을 낀다. 잭은 혜정의 행동에 오히려 맘에 들었다는 듯 다정하게 혜정을 바로 안내하고 샴페인 두 잔을 부탁한다.

혜정은 조금 가까운 곳에 유진이 여전이 보이자 조금은 신경이 쓰인다.

"그 녀석 때문이지? 내가 가서 말을 걸어볼까?"

"아니!"

혜정이 다급하게 잭을 말린다.

"내 숙제야. 내가 알아서 할 거야."

"좋아. 그럼 각자의 숙제는 각자가 알아서 처리하는 것으로 하지. 대신 내가 멋진 남자친구가 일단 되어 줄게."

잭은 갑자기 혜정에게 다가가 그녀의 어깨에 다정하게 팔은 감싼다. 잭의 행동에 혜정은 당황스럽지만 최대한 어색하지 않은 표정을 지은다.

"참 어제 일은 미안해. 사과는 다시 하고 싶었어."

"어제 일? 그거 난 이미 잊었는데"

"그것 때문에 잭이 안 오는 줄 알았어"

"오. 나를 그렇게 만나고도 아직 나를 잘 모르는군. 전혀 신경쓰지 않아."

"그런데 왜 이렇게 늦은거야? 하마터면 나는 이 건물에서 뛰어내려 호텔 앞에서 시체로 발견될 뻔 했잖아."

"뭐?"

"넌 몰라. 처음에 내가 얼마나 난감했었는지. 너는 없지. 유진은 아름다운 여자랑 나타나지. 정말 죽는 게 낫다고 생각했다고."

혜정의 말에 잭인 갑자기 웃음이 터졌다. 웃음소리가 너무 커서 그들과 조금 떨어진 사람들도 잭에게 시선을 돌렸다. 혜정은 수많은 사람들이 자신들을 바라보자 최대한 행복한 연인의 모습을 보이기 위해 살짝 잭의 어깨에 머리를 기대어도 본다. 그때 유진과 눈이 마주쳤다. 잭은 한동안 사람들의 시선에 아랑곳 하지 않고 여전히 큰 소리로 실컷 웃고 난 뒤 그제서야 혜정에게 말을 건넨다.

"아 정말. 오랜만에 크게 웃었네."

"남 죽을 뻔한 얘기가 뭐가 웃기다는 건지 원……."

"난 사실 내 전 여친 만나고 왔어."

"뭐?"

혜정은 잭의 말투가 너무 담백해서 황당스럽기까지 하다.

"전 여친을 만나고 왔다고? 그럼 너네 다시 사귀는 거야?"

"아니."

"그럼. 따로 만나서 복수라도 한 거야?"

"아니."

"그럼 뭐 야?

"만나서 사과 했어."

"뭐라고? 사과? 복수가 아니라 사과?"

"응."

"뭐가 그리 답이 간단해?"

"다 너 덕분이야."

"뭐? 나?"

혜정은 잭의 이야기 속에서 길을 잃었다.

"어, 이제 행사가 시작된다. 곧 이사진들이 나와서 오프닝 멘트를 할 거야."

"말 돌리지마!"

"오프닝 멘트가 끝나고 식사가 시작되면 우리는 조용히 빠져나가자"

"여기를?"

"내가 아까 크게 웃는 바람에 이미 사람들이 내가 여기 있는지 다 알게 된 것 같으니 뭐 더 이상 일일이 인사하러 돌아다니지 않아도 될 듯하고 잠깐 나가서 우리는 피자나 사먹고 다시 돌아오자. 이 앞에 뉴욕 최고의 피자집이 있어"

잭은 자신이 계획한대로 행사 오프닝 멘트가 끝나자마자 조용히 혜정을 데리고 호텔 건너편에 위치한 로컬 피자집으로 데려갔다. 한 박스에 20달러 밖에 하지 않는 커다란 치즈피자를 사들고 두사람은 피지가게 앞 야외 벤치에 앉았다.

두 사람은 바로 피자박스를 열어 따뜻한 피자를 한 조각씩 꺼내어 입에 물었다.

"정말 맛집이었구나!"

혜정이 감탄을 하자 잭은 더 크게 피자를 한 입 물었다.

"우리 아버지는 뉴욕 월가에서 성공한 은행원이셔. 성공한 그를 통해서 난 인생을 배웠고 꿈을 가졌어. 그리고 그의 완벽해 보이는 삶을 따라 배웠지."

잭이 갑작스럽게 자신의 이야기를 담백하게 꺼내자 혜정은 피자를 먹다 잠시 멈추고 그를 바라보았다.

잭의 아버지는 어린 잭에게 진정한 성공한 남자는 자신이 원하는 것은 선택해서 얻을 줄 알아야 한다고 가르쳐 주셨다. 그렇게 잭은 평생 스스로가 성공된 사람으로 성장하도록 몸과 마음을 훈련시키며 자신의 분야에서 최고가 되고자 했다. 그리고 원하는 삶을 얻자 드디어 자신이 원하는 여성 발견했다고 했다. 잭의 전 여자친구인 그녀의 이름은 다코타였다. 다코타와 연애를 시작하며 모든 것이 좋을 것이라고 기대했던 꿈은 어느 날부터 산산조각이 되어져 있었다. 자신의 다코타는 언젠가부터 혜정처럼 자신을 감정이 없는 컴퓨터 같다며 불평을 자주했다.. 마치 잘 코딩 된 컴퓨터처럼 계산적으로만 세상을 바라본다며 원망하며 자신과 있는 순간순간이 불행하다 말했다고 한다. 그 말 한마디가 다코타를 사랑했단 잭의 가슴에 비수처럼 꽃 쳤다고 말해줬다. 이 말을 할 때 잭의 얼굴은 지금까지 본 표정들 중에 가장 많이 어두웠다. 그때는 전혀 그녀의 말을 이해할 수 없어서 다코타가 오해한다고만 생각해 상황을 설명해주고 싶어 노력을 했지만 듣지 않으려 하는 다코타 때문에 오히려 더 답답함만 쌓여갔었다. 그런데 어제 혜정이 울부짖는 모습을 보면서 울면서 자신을 끝까지 원망하던 다코타가 겹쳐 보였다고 그제서야 다코타를 이해하게 되었다고 말해줬다.

"이게 내 이야기야. 너도 알아야 할 것 같아서 내 이야기. 그래서 잠시 나오자고 했어."

"말해줘서 고마워. 잭은 여전히 다코타를 사랑하고 있나 봐?"

"글쎄……. 솔직히 지금은 모르겠어. 이별을 하고 다음날 하루는 아무 생각도 아무 일도 할 수 없긴 했어. 하지만 다시 일을 시작하고 나니 다코타를 그리워할 시간은 분명 부족해지더라."

"그건 잊은 게 아니라 잠시 마음의 구석으로 치워 둔거야."

"맞아. 너 말 인정해. 그녀를 잊은 게 아니라 잠시 신경 쓰지 않기 위해 마음의 구석에 숨겨 둔거지. 그래서 나야 말로 상황으로부터 도망치지 말고 마주해야 했어."

"그래서 다코타를 만나고 온거야?

"응, 그녀가 받은 상처에 사과했어. 이별은 그녀가 선택했고 나에게 슬픈 일이었지만 난 그 결정을 이제 존중해."

"아무렇지도 않게 다코타를 만날 수 있는 너가 부럽네. 난 여전히 그렇게 쿨하게 행동하지 못 할 것 같아."

"나도 괜찮지는 않아. 분명 약해진 모습을 감추기 위해 연기도 했겠지. 비겁한 모습도 보였을지도 몰라. 그래도 만나서 남은 이야기를 전해주고 나니 속이 시원하다. "

"내 전 약혼자는 다른 여자를 선택해서 나를 떠났어. 그래서 난 정말 복수가 필요한데..”

혜정은 피식 웃음이 나온다.

“그럼 그 유진이라는 사람은 너의 진짜 인연이 아니었나 보네.”

“난 그래도……”

“하지만 너의 운명적인 인연은 아닌 건 그냥 인정해. 그런 사람을 사랑하는 건 이제 의미가 없어. 그러니 승리자처럼 여유 있게 그를 이제 보내줘야 할 때가 아닐까?”

“그럼 복수는? 우리가 계획한 이 복수는? 보란듯이 멋지고 행복하게 나타나 나를 놓친 거 후회하게 해주자는 통쾌한 복수는 어떻게 해?”

“그런 복수를 아직 원해?”

혜정은 아까 자신이 쟉의 어깨에 기대였을 때 마주쳤던 유진의 얼굴이 떠오른다. 알 수 없는 무표정의 얼굴. 그 얼굴을 봤을 때 이상하게 지금까지 복수를 준비하면서 기대했던 그 통쾌감이 느껴지지 않았다.

“우리가 복수에 성공해도 우린 행복해 지지는 않을 거야. 오히려 텅 빈 가슴을 한 번 더 발견할 뿐이지. 행복은 나로부터 시작되는데 우린 지금 비워진 내면의 행복을 채우려 외부에 의존하고 있으니 채워지지 않을 거야.”

“그럼 지금부터 어떻게 해야하는거지?”

“다시 시작하면 되는거지.”

“다시?”

“우리가 다시 행사장으로 돌아가면, 그저 우리는 우리에게 집중하면 돼. 다른 사람들이 어떻게 생각하고 보던 간에 말이지. 그게 가장 멋진 복수가 아닐까?"

"잭, 내가 너를 짧게 알았지만 지금까지 너가 해준 말 중에서 지금 한 말이 제일 멋진 것 같아. 처음으로 로보트 같지 않게 느껴지네"

잭은 혜정의 칭찬에 방긋 미소를 짓는다.

"참 혜정. 내가 제일 좋아하는 음식이 뭐였는지 기억나?"

"아 맞다! 치즈피자였지?"

혜정은 지금 자신이 먹고 있는 치즈피자를 한 입 더 베어 문다.

"잭, 내가 제일 좋아하는 뮤지션이 누구였지?"

"엘라 피츠제럴드!"

"오! 역시 기억력이 좋군!"

"그럼 다음주에 우리 로라랑 함께 재즈 클럽이나 갈까? 우리 복수 모임의 에프터 파티라고 해야할까?"

"좋은데?"

"대신 이번에 로라가 취하지 않게 해야해."

"아! 로라는 정말 술을 못 마신다니까"

"내가 볼 땐 그냥 너가 너무 잘 마시는 거야. 자, 이제 다시 행사장으로 돌아가자"

잭이 신사처럼 자신의 왼쪽팔을 혜정에 내어준다.

"고마워, 젠틀맨"

혜정도 잭의 팔에 손을 올리며 새침하게 자리에서 일어섰다.

행사가 한참 진행되는 호텔 로비에 도착했을 때 얼굴이 하얗게 변한 로라가 그들에게 달려온다.

"아니 둘 다 도대체 어디를 다녀온 거야? 오마이갓, 너네 설마 도망쳤다가 오는 거야? 복수 근처도 못 간 건 아니겠지?"

로라는 세상을 잃은 듯 두 손을 모아 자신의 입에 가렸다.

"로라, 아니야. 내 생각에는 우리가 이긴 것 같아"

혜정은 로라에게 다가가 그녀를 안심시켜준다.

"정말? 복수했어?"

"응, 복수했어. 그러니깐 이제 아무도 신경 안 쓰고 오늘 행사를 즐기면 될 것 같아."

"어머! 잘됐다! 거봐 넌 해낼 거라고 난 믿었다고!"

로라는 정말 기쁜 얼굴로 혜정을 꼭 안아주었다.

"자 레이디들! 너희들이 좋아하는 디저트가 다 없어지기 전에 빨리 행사장으로 돌아가자!"

"아 맞다! 디저트!"

혜정과 로라는 동시에 디저트를 외쳤다.

잭은 두 손을 로라와 혜정의 어깨에 올리고 그녀들을 재촉해서 행사장으로 들어갔다.

집사, 울어도 괜찮아.

발행 2024년 07월 19일
지은이 박정은
디자인 조효빈
펴낸이 정원우
펴낸곳 글ego
출판등록 2019.06.21 (제2019-000227호)
주소 서울특별시 강남구 강남대로 118길 24, 3층(논현동)
이메일 writing4ego@gmail.com
홈페이지 http://egowriting.com
인스타그램 @egowriting
일러스트 최서희

ISBN 979-11-6666-524-0